Yvain, le Chevalier au Lion

Chrétien de Troyes

Yvain, le Chevalier au Lion

Adaptation nouvelle
par Jean-Pierre Tusseau

Classiques
l'école des loisirs
11, rue de Sèvres, Paris 6ᵉ

© 1993, l'école des loisirs, Paris
Loi n° 49.956 du 16 juillet 1949 sur les publications
destinées à la jeunesse : mars 1993
Dépôt légal : mars 2009
Imprimé en France par CPI Firmin Didot
à Mesnil-sur-l'Estrée (94239)

ISBN 978-2-211-01983-5

PRÉSENTATION

De tous les chevaliers qui ont bercé les rêves d'enfance d'une multitude de générations, les plus prestigieux sont, sans conteste, les chevaliers de la Table ronde, réunis autour du plus prestigieux des souverains, le roi Arthur.

Depuis Chrétien de Troyes, leurs exploits ont inspiré bien des romanciers, dramaturges ou poètes (de nombreux remaniements anonymes ayant abouti au grand cycle *Lancelot-Graal* mais aussi *Merlin* de Robert de Boron au XIIᵉ siècle, *La Mort d'Arthur* de Thomas Malory à la fin du XVᵉ siècle, *Les Chevaliers de la Table ronde* de Creuzé de Lesser en 1813, *Les Idylles du roi* de Tennyson en 1842, *King Arthur* de George Bulwer-Lytton en 1848-1849, *The Waste Land* de T.S. Eliot en 1922, *Les Chevaliers de la Table ronde* de Jean Cocteau en 1937, *Le Roi pêcheur* de Julien Gracq en 1948...).

L'univers arthurien a également été source d'inspiration pour des musiciens (*King Arthur* de Purcell en 1691, *Parsifal* de Wagner en 1877 ou, moins connus, *Viviane* en 1882 et *Le Roi Artus* en 1903 d'Ernest Chausson…).

Nombreux sont également les cinéastes qui ont donné leur vision des chevaliers de la Table ronde. Nous nous contenterons de rappeler quelques œuvres marquantes fort différentes les unes des autres (*Les Chevaliers de la Table ronde* de Richard Thorpe en 1953, *Lancelot du lac* de Robert Bresson en 1974, *Perceval le Gallois* d'Éric Rohmer en 1978, *Excalibur* de John Boorman en 1981…).

Les prouesses des chevaliers de la Table ronde vont bien au-delà des exploits terriblement physiques des chevaliers de chansons de geste. On retrouve inévitablement les coups de lance ou d'épée, les heaumes cabossés, les hauberts démaillés. Il n'y a pas plus de littérature chevaleresque sans cervelles qui coulent des crânes fendus ou de lambeaux de foie à la pointe des lances qu'il n'y a de guerre propre. Mais le ton est différent. Il y a dans *Yvain, le Chevalier au Lion* une part de parodie des chansons de geste. Le combat qui oppose Yvain à Harpin (chap. IX) se termine par une série de comparaisons de boucherie : trancher une grillade, tailler dans le lard, arracher un gigot, tremper la lance dans le sang comme dans une sauce… du ketchup avant l'heure !

Ce ne sont pas les seuls traits amusants de ce roman qui ne manque pas d'humour : lorsque Yvain, devenu invisible, observe les chevaliers qui enragent de ne pas le trouver ; ou bien quand notre héros, guéri de sa folie grâce à l'onguent que la jeune fille n'a pas ménagé, regarde tout autour de lui pour s'assurer que personne ne le voit s'habiller ; quelques quiproquos ; le seigneur du château de Pire Aventure qui veut absolument donner sa fille en mariage à Yvain ; des propos légèrement irrévérencieux lorsque Chrétien de Troyes nous dit avant un combat particulièrement redoutable qu'Yvain a bien confiance en Dieu... mais ne néglige pas son lion pour autant ! enfin, quelques réflexions sur l'inconstance des femmes que l'on ne peut manquer de remarquer dans ce roman courtois qui fait la part belle à la dame.

Si les résultats des coups portés sont toujours les mêmes, inévitablement, les motivations des chevaliers de la Table ronde n'ont que peu de rapport avec celles des chevaliers de chansons de geste, à la fois moins politiques et plus individualistes. Ce ne sont pas des personnages au destin tragique, broyés par la logique implacable de l'univers féodal (comme *Raoul de Cambrai*) mais des êtres capables de se forger un destin personnel.

Yvain ne lutte pas pour la grandeur du royaume ou de la chrétienté (comme Roland) ou pour maintenir sur le trône un roi légitime à l'autorité contestée (comme Guillaume d'Orange dans *Le Couronnement de Louis*). S'il se lance dans l'action, c'est par attrait de l'aventure. S'il devient seigneur de Landuc, du domaine de la fontaine merveilleuse, c'est au terme d'un itinéraire individuel qui lui permet d'être enfin lui-même dans sa plénitude.

· Sans nier la vaillance qui lui permet de vaincre Esclados le Roux (chap. II), intervient une grosse part de hasard échappant à la logique narrative la plus rigoureuse (l'aide de Lunette, l'anneau qui rend invisible). C'est ainsi qu'Yvain épouse Laudine avant même d'être vraiment mûr pour l'aventure du mariage. Leur bonheur tourne vite au drame. La suite du livre n'est que le récit d'une lente maturation personnelle, d'une reconquête délibérée de la dame et du fief qui ne dépendent cette fois que de la volonté du héros.

Mûri par les épreuves, Yvain, devenu le Chevalier au Lion, est enfin capable de s'imposer à Laudine et de trouver le difficile équilibre entre l'amour et la chevalerie. Problème toujours d'actualité que ce fragile équilibre entre la vie professionnelle et la vie sentimentale ou familiale ! Pour

Chrétien de Troyes, le mariage n'est pas un aboutissement mais le début d'une autre aventure.

L'intérêt de l'œuvre est loin d'être purement historique ou documentaire (vie à la cour, justice royale, condition des ouvrières...). Comme les exploits d'Ulysse, ceux d'Yvain échappent au temps, et la magie continue d'opérer. Il ne faudrait pas s'arrêter à l'apparence extérieure des personnages et des décors, car le récit repose sur tout un fond archaïque celtique.

Le point de départ s'apparente au motif du chevalier qui s'aventure dans l'Autre Monde pour y conquérir l'amour d'une fée (Laudine) en triomphant d'un guerrier surnaturel (Esclados)[1].

L'ambiance et le décor sont empreints de légende et de mythologie : des dragons qui crachent du feu, des monstres engendrés par des divinités diaboliques auxquels on paie chaque année un tribut de trente jeunes filles, des anneaux magiques, des géants (on ne peut s'empêcher de penser au Minotaure, au Cyclope, à l'anneau de Gygès...), des fontaines merveilleuses qui font pleuvoir ou déclenchent des tempêtes, des onguents

1. L'amour d'un chevalier humain et d'une fée est un des thèmes traditionnels de poèmes narratifs, les lais féeriques. On ne peut que recommander la belle édition d'Alexandre Micha, *Lais féeriques des XIIe et XIIIe siècles,* Paris, Garnier Flammarion, 1992.

magiques pour soigner les blessures et même la folie!

Les jeunes filles guérisseuses sont sans doute d'anciennes fées et la Dame de la fontaine une divinité des eaux. Le vavasseur accueillant n'est-il pas quelque dieu hospitalier (Lug par exemple)? La forêt de Brocéliande ne tire-t-elle pas son nom de *Bréchéliant* qui signifie en langue celtique «forteresse de l'Autre Monde»? La folie d'Yvain s'apparente à une mort symbolique bientôt suivie d'une résurrection, de la naissance d'un homme nouveau sous une nouvelle identité, dans une nouvelle peau, celle du Chevalier au Lion.

Toute l'œuvre doit être lue sur plusieurs plans car deux mondes au moins y cohabitent: le monde celtique, plus mystérieux, et le monde chrétien, plus rationnel. N'y a-t-il pas près du perron et de la fontaine, tous deux sacrés, une chapelle qui représente l'appropriation par le christianisme de lieux celtiques? Autant de dimensions qu'il ne faut pas perdre de vue pour bien comprendre, au-delà de son apparente sobriété, ce qu'on peut considérer comme «le plus équilibré, le plus passionnant, le plus émouvant des romans de chevalerie[1]».

1. André Eskénazi, *Yvain ou le Chevalier au Lion* (extraits), Classiques Larousse, p. 24.

I
LE RÉCIT DE CALOGRENANT

Le roi Arthur, qui demeure pour tous le modèle de la vaillance et de la courtoisie, régnait alors sur la Bretagne. Il avait réuni, cette année-là, à l'occasion de la Pentecôte, une cour particulièrement brillante. En son château de Carduel, en Galles, la fête était vraiment somptueuse.

Une fois les tables desservies, les chevaliers, par petits groupes, rejoignirent dans les salles du palais les dames, les demoiselles et leurs suivantes. Certains échangeaient des nouvelles. D'autres parlaient de l'Amour, des angoisses et des tourments qu'on endure à cause de lui et aussi des grandes joies qu'il procure.

Autrefois, ses disciples étaient nombreux et savaient se comporter avec honneur, courtoisie et générosité. Ce n'est plus le cas de nos jours. Nombreux sont ceux qui bien à tort prétendent aimer alors qu'ils n'éprouvent pas le moindre sentiment. Il est bien regrettable de galvauder ainsi l'Amour et de le tourner en dérision.

Mais quittons les vivants pour retrouver ceux qui ne sont plus car la courtoisie d'un mort est plus digne d'intérêt que la vulgarité d'un vivant. C'est pour cela que j'ai envie de parler de celui qui en est digne : le roi de Bretagne dont la renommée est universelle et éternelle. C'est grâce à lui, je suis bien d'accord avec les Bretons, que perdure le souvenir des meilleurs chevaliers qui consacrèrent tant d'efforts à se couvrir de gloire.

Ce jour-là, au grand étonnement de tous, le roi se leva et quitta l'assemblée. Certains s'en offusquèrent. Les commentaires allaient bon train car jamais encore on ne l'avait vu se retirer dans sa chambre pour dormir ou se reposer un jour de si grande fête. Cette fois-là, pourtant, la reine le retint si longtemps auprès d'elle qu'il s'endormit.

À l'extérieur, devant la porte de la chambre, Didonel, Sagremor, Keu, monseigneur Yvain et monseigneur Gauvain écoutaient Calogrenant, un chevalier fort aimable, faire le récit d'une aventure qui, loin d'être à son honneur, s'était achevée à sa grande honte.

La reine, qui l'avait entendu conter son histoire, se leva, quitta le roi et vint furtivement prendre place parmi l'auditoire. Seul, Calogrenant l'aperçut et se dressa vivement pour la saluer. Keu, toujours sarcastique et malveillant, persifla :

– Par Dieu, Calogrenant, n'allez pas croire, dans votre naïveté, que vous êtes le plus courtois de nous tous. Si nous ne nous sommes pas levés, ce n'est ni par paresse ni par dédain mais tout simplement parce que nous n'avions pas encore vu Madame.

– Je crois bien, répliqua la reine, que vous en crèveriez si vous ne pouviez pas épancher votre venin sur vos compagnons tant vous êtes odieux et mal élevé.

– Madame, si votre présence parmi nous n'est pas un bienfait, faites au moins en sorte que ce ne soit pas une nuisance. Je n'ai rien dit qui puisse m'être reproché. Brisons là, s'il vous plaît, cette querelle oiseuse. Demandez-lui plutôt de continuer son récit.

Calogrenant reprit la parole :

– Madame, peu m'importe cette mauvaise querelle ! Messire Keu, à de plus vaillants et à de plus sages que moi vous avez tenu des propos blessants et injurieux, comme à votre habitude. On ne peut empêcher le bourdon de bourdonner, le taon de piquer, le fumier de puer et Keu d'être odieux. Cependant, si Madame veut bien m'y autoriser, je n'en raconterai pas plus pour aujourd'hui.

– Madame, tous ceux qui sont ici vous sauront gré de lui demander de continuer, reprit Keu. Je ne vous demande pas de le faire pour moi mais pour tous les autres qui ont grande envie d'écouter la suite de son récit.

La reine dit alors:

– Calogrenant, ne prenez pas ombrage des attaques du sénéchal Keu. Il faut toujours qu'il persifle. C'est plus fort que lui. Ne soyez pas fâché et, je vous en prie, ne refusez pas à cause de lui de poursuivre votre récit. Reprenez donc depuis le début. C'est moi qui vous le demande.

– Madame, je n'ai plus la moindre envie de leur raconter quoi que ce soit et je préférerais me taire si je ne craignais de vous déplaire. Puisque tel est votre désir et quoiqu'il m'en coûte, écoutez bien. Ouvrez grand votre cœur en même temps que vos oreilles car le vent a tôt fait d'emporter les paroles qu'on ne fait qu'entendre. Les oreilles sont le chemin par lequel la voix s'en vient jusqu'au cœur qui, s'il est attentif, saisit les paroles et les garde au plus profond de lui-même. Alors, si vous voulez réellement comprendre, écoutez avec votre cœur car ce que je vais vous dire n'est ni songe ni mensonge mais c'est ma propre histoire.

Il y a à peu près sept ans, j'allais seul, comme un chevalier errant, en quête d'aventure. Ayant engagé mon cheval sur un mauvais sentier plein de ronces et d'épines à travers la forêt de Brocéliande, j'eus grand-peine presque tout le jour à me frayer un chemin. Quand je débouchai enfin, non sans mal, dans une lande, j'aperçus une tour à une demi-lieue de là. Je m'en approchai aussitôt et découvris le mur d'enceinte entouré d'un fossé large et profond. Sur le pont se tenait le seigneur du lieu, un autour perché sur son poing.

J'avais à peine eu le temps de le saluer que, bénissant le chemin qui m'avait mené jusqu'à lui, il me tenait déjà l'étrier pour m'inviter à descendre de cheval, ce que je fis car j'avais besoin d'être hébergé. Ayant franchi le pont et la porte, nous arrivâmes dans la cour. Au milieu, était suspendu un plateau de cuivre. Le vavasseur y frappa trois coups à l'aide d'un maillet. Répondant à ce signal, ceux qui se trouvaient à l'intérieur du château sortirent des appartements et descendirent dans la cour.

Un serviteur vint prendre mon cheval que tenait le généreux vavasseur tandis qu'une jeune fille s'approchait de moi. Elle était si fine, si élancée, avait une telle prestance dans son maintien que c'était un ravissement pour le regard. Elle m'ôta fort adroitement et fort agréablement mon armure et me couvrit d'un court manteau de soie bleu foncé doublé de fourrure.

Bientôt, tout le monde nous abandonna la place, nous laissant seuls, elle et moi, ce qui n'était pas pour me déplaire. Elle me fit asseoir dans un ravissant petit jardin entouré de murs bas. Elle était merveilleusement belle, d'une grâce incomparable et elle se montra si bien élevée, si instruite, de conversation si agréable que j'étais totalement sous l'emprise de son charme. Mais, hélas, à la tombée de la nuit, le vavasseur crut bon de venir me chercher pour souper. Bien à regret, je fus obligé d'accepter l'invitation de mon hôte.

Je ne sais que vous dire du souper sinon qu'il fut tout à fait à mon goût puisque la jeune fille était assise en face de moi.

Après le repas, le vavasseur me dit qu'il y avait bien longtemps qu'il n'avait hébergé un chevalier errant en quête d'aventure. Il m'invita à faire halte au retour si je le pouvais. J'aurais risqué de l'offenser si j'avais refusé, aussi, j'acceptai volontiers.

Je fus confortablement logé cette nuit-là. Au lever du jour, mon cheval était sellé comme je l'avais demandé. Dans ma prière, je recommandai au Saint-Esprit cet hôte si aimable et sa chère fille et je pris congé d'eux le plus tôt possible.

Je n'étais guère éloigné de chez eux que j'aperçus dans un essart des taureaux sauvages en liberté qui se battaient si furieusement en menant un tel vacarme que j'eus tout d'abord, je l'avoue, un mouvement de recul. Un vilain mesurant bien dix-sept pieds et qui avait tout l'air d'un Maure, d'une laideur si repoussante que je ne saurais trouver les mots pour la décrire, était assis sur une souche et tenait à la main une grande massue sur laquelle il s'appuyait.

En m'approchant un peu, je vis qu'il avait la tête plus grosse que celle d'un roncin, les cheveux en broussaille, les tempes dégarnies, les oreilles grandes et velues comme celles d'un éléphant, les sourcils épais, la face aplatie, des yeux de chouette, un nez de chat, la bouche fendue comme celle d'un loup, des dents de sanglier, acérées et jaunes, la barbe rousse, les moustaches mal taillées, le menton directement soudé au buste, l'échine longue, courbe et bossue. Ce monstre portait un bien étrange vêtement simplement composé de deux peaux de bœufs ou de taureaux récemment écorchés, attachées à son cou.

Quand il me vit approcher, il bondit sur ses pieds. Ne sachant quelles étaient ses intentions, je me mis en position de défense. Mais il resta là, immobile. Je crus tout d'abord qu'il s'agissait d'un idiot qui ne savait pas parler. Toutefois, je m'enhardis assez pour lui demander :

– Quelle espèce de créature bonne ou diabolique es-tu ?

Il répondit qu'il était un homme.

– Quelle sorte d'homme ?

– Je suis tel que tu peux me voir et je ne change jamais d'aspect.

Que fais-tu ici ?

– Je garde les bêtes de ce bois.

– Tu les gardes ? Ce sont des bêtes sauvages qui n'ont jamais obéi à l'homme. Pour les garder, il faudrait les parquer dans un enclos.

– Pourtant, je les garde et elles m'obéissent.

– Comment fais-tu ?

– Quand je m'approche d'elles, aucune bête n'ose bouger. J'en attrape une, je l'empoigne par les cornes ; alors les autres, terrorisées, s'assemblent autour de moi comme pour demander grâce. Je suis leur maître. Et toi, dis-moi à ton tour quel genre d'homme tu es et ce que tu viens faire par ici.

– Je suis un chevalier errant en quête de ce que je ne peux trouver. J'ai beaucoup cherché mais en vain.

– Que voudrais-tu trouver?

– L'aventure pour mettre à l'épreuve ma vaillance et ma hardiesse. Sais-tu où je puis la trouver ou, si tu as connaissance de quelque prodige, je te prie instamment de me les enseigner.

– Tu devras te passer d'aventure car je n'ai jamais entendu parler de ça. Mais si tu voulais aller jusqu'à une fontaine, non loin d'ici, et si tu te pliais à la coutume, je ne pense pas que tu en reviendrais sain et sauf. Là, tout près, tu trouveras un sentier qui t'y mènera. Tu n'as qu'à le suivre. Tu ne risques pas de te perdre, c'est tout droit. Tout au bout, tu découvriras une petite chapelle et, juste à côté, à l'ombre d'un arbre qui ne perd jamais ses feuilles, tu verras la fontaine qui bouillonne. Son eau est pourtant plus froide que le marbre. Il y a un bassin de fer suspendu à une grande chaîne qui tombe jusque dans l'eau. Si tu prends de l'eau dans ce bassin et que tu la verses sur la grosse pierre juste à côté – c'est une pierre comme je n'en ai jamais vu de semblable – tu déclencheras une terrible tempête qui fera fuir tous les animaux de la forêt : chevreuils, cerfs, daims, sangliers, oiseaux. Pas un seul n'osera rester. Les arbres vont se briser. Il va pleuvoir très fort. L'orage va tonner, les éclairs vont déchirer le ciel avec une telle violence que, si tu peux en réchapper, c'est que tu auras plus de chance que tous ceux qui s'y sont risqués avant toi.

Quittant donc le vilain, je m'engageai sur le chemin qu'il m'avait indiqué. Il était sans doute près de midi lorsque je découvris l'arbre et la chapelle. L'arbre, c'était, pour sûr, le plus beau pin qui ait jamais poussé sur la terre, au feuillage si dense que la pluie n'aurait pas pu passer au travers. Je vis le bassin pendu à l'arbre. Il n'était pas de fer mais de l'or le plus fin. Quant à la fontaine, elle bouillonnait comme de l'eau chaude. La grosse pierre, c'était une émeraude évidée reposant sur quatre rubis plus flamboyants et plus lumineux que le soleil du matin. J'avais grande envie de savoir ce qu'il en était de l'orage et j'eus à m'en repentir.

Dès que j'eus versé de l'eau sur le perron – j'avais dû en verser trop, je le crains – je vis le ciel se déchirer de toutes parts. Je fus ébloui par une multitude d'éclairs et la foudre se mit à tomber tout autour de moi, brisant les arbres, tandis que se mettaient à tomber en rafales des nuées de pluie, de grêle et de neige. Le spectacle était effrayant. J'étais terrifié et je crus bien mourir cent fois. Heureusement, ce déluge ne dura guère et je fus bien soulagé quand il plut à Dieu de calmer les élements déchaînés.

Les oiseaux vinrent alors s'assembler en si grand nombre sur le pin qu'il en fut tout couvert. Ils se mirent à chanter en chœur, toutes leurs voix différentes s'accordant si bien entre elles que je n'avais jamais rien entendu d'aussi beau. C'est pourquoi je les écoutai longtemps et le charme ne fut brisé que par le bruit de l'arrivée d'une troupe de chevaliers.

Je crus tout d'abord qu'il y en avait bien une dizaine mais je vis bientôt que c'était un seul chevalier qui menait si grand tapage. Il arrivait au grand galop, plus rapide qu'un aigle, avec l'air féroce d'un lion. Sans perdre de temps, je resserrai les sangles de ma selle et, aussitôt, j'enfourchai mon cheval. C'est alors qu'en rugissant cet impétueux chevalier me lança son défi.

– Vassal, vous venez de me causer un grand tort sans même m'avoir défié. Si je vous ai en quoi que ce soit porté préjudice, vous auriez dû faire valoir votre droit avant d'engager les hostilités. Par votre faute, mes arbres ont été abattus par l'orage et j'ai été chassé de mon château par la foudre. C'est à bon droit que je me plains et vous pouvez être sûr que je ne ferai jamais la paix avec vous.

À ces mots, nous nous précipitons l'un contre l'autre. Je vous dirai pour excuser mon déshonneur que j'étais en bien mauvaise posture et que le combat était inégal : mon adversaire me dépassait sans aucun doute d'une bonne tête et avait un cheval meilleur que le mien. Je le frappe aussi fort que je peux sur le haut de son écu. Ma lance vole en éclats alors que la sienne, plus grosse et plus lourde que n'importe quelle autre lance, demeure intacte. Il m'en frappe si rudement qu'il me fait basculer sur la croupe de mon cheval et qu'il me jette à terre.

Sans un mot, sans un regard, il m'abandonne ainsi à plat ventre, au milieu du chemin, couvert de honte, et disparaît en emmenant mon cheval.

N'osant pas suivre le chevalier de peur de commettre une nouvelle folie – de toute façon, il était trop tard, il avait déjà disparu – je restai assis un moment près de la fontaine, complètement désemparé, pour reprendre mes forces et mes esprits.

Finalement, je décidai de tenir la promesse faite à mon hôte et, abandonnant mes armes et mon armure pour être plus léger, je rebroussai chemin, tout penaud.

Lorsque je parvins chez eux à la tombée de la nuit, mon hôte et sa fille se montrèrent tout aussi prévenants et cordiaux que la veille. Ils me consolèrent en me disant qu'à ce qu'ils savaient ou avaient entendu dire jamais encore aucun chevalier n'en avait réchappé. Tous avaient payé leur audace de leur liberté quand ce n'était pas de leur vie.

Voilà, vous savez tout de ma lamentable aventure. J'ai eu la folie de la conter devant vous pour la première fois.

– Vous êtes mon cousin germain, dit monseigneur Yvain, il est normal que nous ayons l'un pour l'autre une grande affection. Laissez-moi vous dire que votre seule folie c'est de m'avoir caché si longtemps votre mésaventure. Si l'occasion m'en est donnée, j'irai venger votre honte.

– On voit bien que nous venons de sortir de table, dit Keu, incapable de tenir sa langue. Il y a plus de belles paroles dans un pot de vin bien plein que dans un muid de cervoise. On a bien raison de dire qu'un chat repu ronronne haut et fort. Qu'on accomplit de grands exploits à la fin des banquets! Monseigneur Yvain, votre selle est-elle rembourrée? Vos chausses de fer sont-elles astiquées et votre bannière déployée? Partirez-vous dès ce soir ou seulement demain? Faites-nous donc savoir quand vous courrez à ce supplice, que nous ne manquions pas de vous faire un convoi funèbre. Et si vous faites un mauvais rêve cette nuit, renoncez donc[1].

– Comment? fait la reine. Monseigneur Keu, avez-vous perdu la raison de ne savoir garder pour vous le fiel de votre langue? Elle vous cause bien du tort en ne faisant que persifler en toutes circonstances. À cause d'elle vous êtes haï de tous. À votre place, je l'accuserais de haute trahison. Puisque vous êtes incapable de vous amender, on ferait bien de vous exorciser

– Madame, répond monseigneur Yvain, je me moque de ses railleries. Dans aucune assemblée quelle qu'elle soit monseigneur Keu ne se montrera ni sourd ni muet. C'est sa manière d'être courtois. Pour ma part, je n'ai l'intention d'entamer ni stérile discussion ni sotte querelle. Ce n'est pas celui qui porte le premier coup qui déclenche la bagarre

1. Ce n'est pas un simple trait de raillerie. On accordait, au Moyen Âge, une grande importance à la signification des rêves. Les rêves prémonitoires sont nombreux dans les chansons de geste.

générale mais celui qui réplique. Ce ne sera pas moi ! Je ne veux pas avoir l'air d'un dogue qui se hérisse et retrousse les babines quand un autre chien montre les crocs.

Tandis qu'ils parlaient ainsi, le roi, qui venait juste de se réveiller, sortit de la chambre. Aussitôt, les barons se levèrent pour le saluer mais il leur fit signe de se rasseoir. Lui-même s'installa à côté de la reine qui reprit pour lui dans le détail le récit de Calogrenant. Comme elle contait fort bien, le roi eut plaisir à l'écouter. Il fit alors serment sur l'âme de son père Uterpandragon, sur l'âme de son fils et celle de sa mère que dans moins de quinze jours, il irait voir la fontaine merveilleuse. Il y arriverait la veille de la Saint-Jean et y ferait étape cette nuit-là. Il ajouta que tous ceux qui le souhaitaient pourraient l'accompagner.

Ce que le souverain venait de dire accrut son prestige parmi la cour car tous, tant barons que jeunes bacheliers, avaient la ferme intention de s'y rendre avec lui.

Seul, monseigneur Yvain ne partageait pas l'enthousiasme général car il avait conçu le projet de tenter l'aventure en solitaire. Une fois là-bas, il le savait bien, monseigneur Keu obtiendrait le droit de tenter l'épreuve avant lui. Ou bien monseigneur Gauvain, s'il le demandait le premier. Le roi ne pourrait leur refuser ce privilège.

C'est ainsi qu'il prit la décision de ne pas attendre. Que ce soit pour son bonheur ou pour sa peine, il irait seul. Il se rendrait dans moins de trois jours à la forêt de Brocéliande et saurait bien trouver l'étroit sentier broussailleux, la lande et le manoir fortifié. Il se ferait héberger chez ce gentilhomme accueillant dont la fille est si belle et si gracieuse. Il se hâterait ensuite d'aller jusqu'à la clairière, verrait les taureaux et l'horrible vilain qui les garde. Puis, s'il le pouvait, il découvrirait enfin la fontaine, le perron et le bassin, les oiseaux sur le grand pin et il provoquerait la tempête.

Mais ce projet, il doit le garder secret. Personne ne soupçonnera rien avant que l'aventure lui ait apporté gloire ou déshonneur. Que tout le monde le sache alors, mais pas avant!

II
YVAIN À LA FONTAINE PÉRILLEUSE

Discrètement, monseigneur Yvain s'esquiva, quitta la cour et regagna son logis. Il ordonna qu'on selle son cheval et appela un de ses écuyers en qui il avait entière confiance.

– Je vais sortir de la ville sur mon palefroi. Fais bien ferrer mon destrier puis viens me rejoindre avec lui à l'extérieur en apportant mes armes. Tu ramèneras ensuite le palefroi. Surtout garde-toi bien, qui que ce soit qui te le demande, de donner la moindre nouvelle de moi ou tu peux me croire qu'il t'en coûterait. Hâte-toi car j'ai un long voyage à faire.

– Seigneur, soyez tranquille. Partez. Je ne tarderai pas.

Monseigneur Yvain monta aussitôt sur son palefroi, bien résolu à ne pas revenir avant d'avoir vengé son cousin. Comme il ne manquait au cheval ni fer ni clou, l'écuyer ne tarda pas à rejoindre son seigneur qui l'attendait comme convenu à l'écart du chemin. Là, il l'aida à revêtir son armure et tout son équipement.

Aussitôt armé, monseigneur Yvain se mit en route, chevauchant par monts et par vaux, traversant d'épaisses forêts, passant par des lieux étranges, franchissant maints passages dangereux, surmontant maintes difficultés au péril de sa vie.

Quand il arriva enfin au sentier étroit et sombre dont avait parlé son cousin, il éprouva la certitude de ne plus courir le risque de se perdre et se sentit soulagé. Quoi qu'il lui en coûte, il ne renoncerait plus désormais à aller jusqu'à la fontaine ombragée par le pin et verserait de l'eau sur la margelle de pierre pour déclencher la tempête.

Cette nuit-là, il fut accueilli comme il l'avait prévu chez le généreux vavasseur mais avec encore plus d'égards qu'il ne l'imaginait et il trouva la jeune fille bien plus belle et plus sage que ne l'avait décrite Calogrenant, tant il est difficile d'évoquer avec des mots la perfection d'une femme ou d'un chevalier de qualité.

Le lendemain, Yvain parvint jusqu'à la clairière où il trouva les taureaux sauvages et le vilain qui lui indiqua où prendre le sentier. Cependant, il ne manqua pas de se signer une centaine de fois, stupéfié par la laideur repoussante de cette créature.

Arrivé à la fontaine qu'il désirait tant voir, il ne prit même pas le temps de se reposer. Il versa carrément sur la pierre un plein bassin d'eau. Immédiatement, le vent se leva, la grêle et la pluie se mirent à tomber, la tempête se déchaîna.

Quand il plut à Dieu de ramener le beau temps, les oiseaux vinrent se poser sur le pin et firent entendre leur merveilleux concert au-dessus de la fontaine périlleuse.

Le charme fut brisé par l'arrivée tonitruante du chevalier ivre de colère.

À peine se sont-ils entrevus qu'ils s'élancent l'un contre l'autre, laissant clairement voir la haine mortelle qu'ils se vouent mutuellement.

De leurs lances solides et droites, ils se heurtent aussitôt avec une telle violence que les deux écus pendus à leur cou sont transpercés et les hauberts démaillés. Les lances se brisent et les tronçons volent en l'air. Ils s'attaquent alors à l'épée, tranchant les courroies qui retiennent les écus et à force de coups, les écus eux-mêmes sont dans un tel état que les chevaliers ne peuvent plus s'en servir pour se protéger. À travers quelques lambeaux qui pendent encore, ils se portent, avec leurs épées étincelantes, de grands coups et se blessent aux côtés, aux bras, aux hanches.

Ils se mesurent avec fureur. Chacun, solide comme un roc, refuse obstinément de céder le moindre pied de terrain. Rarement chevalier se montra aussi acharné à la mort de son adversaire. Ils portent leurs coups avec précision, cabossent et aplatissent les heaumes et font voler les mailles des hauberts. Tous deux saignent abondamment et le sang chaud macule les hauberts qui ne les protègent pas plus que ne ferait une robe de moine. De la pointe de l'épée, ils se portent des coups en plein visage. Aucun d'eux ne veut céder.

Le combat se prolonge et les deux chevaliers sont toujours en selle car, en dépit de leur acharnement, ils ont pris garde d'épargner leurs chevaux. La bataille n'en est que plus belle.

À la fin, d'un coup meurtrier, Yvain fend en quatre le heaume de son adversaire. Sous la coiffe du haubert, le crâne est profondément ouvert. Avec le sang qui coule, des lambeaux de cervelle viennent tacher le blanc haubert du chevalier. Se sentant blessé à mort, celui-ci n'a plus d'autre issue que la fuite en direction de son château.

Comme le gerfaut qui prend son élan de loin pour fondre sur la grue, monseigneur Yvain, éperonnant son cheval, s'est lancé à la poursuite du fuyard. Il en est si proche qu'il est presque sur le point de l'attraper et peut entendre les gémissements de douleur qu'il pousse. Mais l'autre déploie une telle énergie dans la fuite qu'Yvain redoute d'avoir perdu sa peine s'il ne peut pas s'emparer de lui mort ou vif. Il garde en mémoire les railleries de Keu et la promesse faite à son cousin. Il lui faut les preuves indiscutables de sa victoire afin que nul ne puisse la mettre en doute.

Piquant des éperons, tous deux arrivent devant la ville fortifiée dont le pont-levis a été abaissé et la porte grande ouverte. Ils pénètrent à l'intérieur de l'enceinte, s'engouffrent dans les rues désertes et parviennent au grand galop jusqu'à l'entrée du palais.

La porte était très haute et très large mais le passage trop étroit pour que deux cavaliers puissent y entrer de front ou s'y croiser sans encombre. De plus, elle avait été conçue comme un piège à rats dont la lame suspendue se déclenche et s'abat dès qu'on effleure le déclic. Sous la porte d'entrée, deux trébuchets maintenaient une porte de fer coulissante, aiguisée comme une lame, qui, si l'on marchait sur le mécanisme, descendait brusquement et ne manquait pas de trancher celui sur lequel elle s'abattait.

Le chevalier, familier du lieu, s'est engagé dans

le bon passage à peine plus large qu'un sentier, mais Yvain, ignorant le danger qu'il court, serre de si près le fuyard qu'en se penchant en avant il parvient à le saisir par l'arçon de la selle. Bien lui en prend car son cheval ayant marché sur la pièce de bois qui retenait la porte de fer, celle-ci s'abat et, lui ayant frôlé le dos, coupe en deux sa selle, son cheval et les éperons au ras des talons. Il en tombe à terre tout effrayé.

À l'extrémité du passage, il y avait une autre porte semblable à la première. Le fuyard l'ayant franchie, elle retombe derrière lui.

C'est ainsi que le chevalier blessé à mort parvint à s'échapper et que monseigneur Yvain se trouva pris au piège.

III
LE MARIAGE D'YVAIN

Enfermé dans cette salle au plafond orné de clous dorés, aux murs recouverts de peintures merveilleuses, monseigneur Yvain se trouvait en fâcheuse posture. Soudain, il entendit une petite porte s'ouvrir et vit sortir une demoiselle fort gracieuse et fort belle qui referma la porte derrière elle.

Apercevant le chevalier, elle eut un premier mouvement de frayeur.

– Seigneur, lui dit-elle, on vous fera mauvais accueil si on vous trouve ici. Pour sûr, on vous tuera car c'est vous qui avez blessé à mort notre seigneur. Ma dame en éprouve une telle détresse que tous les gens du château en ont le cœur brisé. Ils savent que vous êtes ici. Pour le moment, leur douleur les occupe mais ils ne tarderont pas à se mettre à votre recherche pour vous capturer et vous tuer.

– S'il plaît à Dieu, ils ne feront ni l'un ni l'autre, répondit monseigneur Yvain.

– Non, car je vais faire tout ce qui est en mon pouvoir pour vous sauver et vous servir avec honneur comme vous l'avez déjà fait pour moi. Un jour que je m'étais présentée à la cour, porteuse d'un message de ma maîtresse, peut-être ne me suis-je pas comportée ainsi qu'il convient à une jeune fille, toujours est-il qu'aucun chevalier ne daigna m'adresser la parole si ce n'est vous. Je vous revaudrai ici les égards que vous avez eus pour moi là-bas. Je sais bien qui vous êtes, je n'ai eu aucun mal à vous reconnaître : vous êtes Yvain, le fils du roi Urien. Soyez sûr et certain que, si vous suivez mes conseils, il ne vous sera fait aucun mal. Prenez ce petit anneau et gardez-le précieusement jusqu'à ce que je vous aie tiré de ce mauvais pas.

Elle lui tendit l'anneau et lui expliqua qu'il était semblable à l'écorce qui recouvre le tronc de l'arbre et le dissimule à la vue : il suffit, l'ayant passé au doigt, de tenir la pierre cachée dans la main en fermant le poing pour devenir aussi invisible aux yeux de tous que le tronc sous l'écorce.

La demoiselle le fit ensuite asseoir sur un lit recouvert d'une magnifique courtepointe et proposa d'aller lui chercher à manger. Comme il avait très faim, elle lui apporta un chapon rôti et un hanap de vin de bonne treille. Le chevalier mangea et but de bon cœur.

Il avait eu tout le temps de se restaurer quand les chevaliers qui voulaient venger la mort de leur seigneur se mirent à sa recherche.

– Ami, dit la demoiselle à Yvain, vous les entendez qui vont et viennent en menant grand tapage. Si vous ne bougez pas de ce lit, ils ne pourront pas vous trouver. Même si cette chambre se remplit bientôt d'une foule de gens pleins de fureur et de haine, sûrs de vous y trouver, c'est en vain qu'ils vous chercheront. Je pense qu'un peu plus tard, ils apporteront le corps de notre seigneur avant de le porter en terre. Ils ne manqueront pas de regarder à nouveau partout en pure perte et en éprouveront un tel dépit qu'ils seront tous fous de colère. Si vous n'avez pas peur, la scène ne manquera pas de vous amuser. Mais je ne peux m'attarder davantage. Je vous quitte en remerciant Dieu de m'avoir donné l'occasion de vous rendre service.

Elle avait à peine quitté la pièce que des gens furieux, armés d'épées et de bâtons, arrivèrent des deux côtés en même temps devant les portes du passage périlleux. Apercevant la moitié du cheval qui avait été coupé en deux, ils étaient sûrs de trouver de l'autre côté le chevalier qu'ils cherchaient.

Ils firent donc lever la porte meurtrière sans remettre en place le dispositif du piège mais eurent la désagréable surprise de ne trouver que l'autre moitié du cheval mais nulle trace du chevalier qu'ils brûlaient de mettre à mort.

Monseigneur Yvain qui les voyait, ivres de rage et de dépit, les entendit dire :

– Comment est-ce possible ? Il n'y a ici ni porte ni fenêtre par où s'évader à moins d'être un oiseau, un écureuil ou une souris, ou quelque bête encore plus petite. Il y a des barreaux aux fenêtres et les portes se sont refermées sur le passage de notre seigneur. Mort ou vif, il faut que le meurtrier soit encore ici. Impossible qu'il soit resté dehors alors qu'une bonne moitié de sa selle est à l'intérieur ! Pourtant, nous ne trouvons rien de lui à part les éperons. Fouillons partout. Il ne peut être qu'ici ou alors nous sommes tous victimes d'un sortilège ou de quelque diablerie.

Ils le cherchèrent partout, dans tous les recoins de la salle, frappant de leurs bâtons, ainsi que des aveugles, contre les murs, sur les lits et les bancs mais le lit où était allongé Yvain fut épargné.

Tandis que les hommes s'affairaient ensuite, rageusement, sous les lits et sous les bancs, une des plus belles dames au monde fit son entrée dans la salle. Sa peine était si grande qu'elle poussait des cris de désespoir et s'effondra sans connaissance. À peine relevée, elle se mit à s'arracher les cheveux, à se griffer le visage comme une folle et à lacérer ses vêtements, défaillant à chaque pas. Rien ne pouvait la consoler ni la réconforter de voir le corps de son époux mis en bière. C'est pour cela qu'elle poussait ces cris déchirants qui bouleversèrent monseigneur Yvain.

En tête du cortège funèbre, entrèrent les religieuses portant l'eau bénite, la croix et les cierges. Puis, chargés d'encensoirs et de missels, venaient les prêtres qui avaient en charge la célébration de l'office des morts.

Alors que le cortège arrivait au milieu de la pièce, il se fit un grand remue-ménage autour de la bière car, des plaies du mort qui s'étaient rouvertes, le sang chaud se remit à couler. C'était pour tout le monde la preuve indubitable que le meurtrier du chevalier se trouvait encore dans la pièce.

Ils reprirent donc les recherches. La pièce fut fouillée de fond en comble. Tout fut renversé, retourné. Yvain reçut même quelques coups mais, s'il fut bousculé, malmené, il se garda bien de remuer.

– L'assassin est parmi nous. Par quel sortilège diabolique nous est-il impossible de le trouver ? se demandaient-ils, pleins d'angoisse

Quant à la dame, brisée par le chagrin, elle délirait et criait comme une forcenée :

– Mon Dieu, comment pouvez-vous permettre qu'on ne trouve pas l'assassin, le traître qui a tué mon cher époux, le meilleur et le plus vaillant des chevaliers ? Est-ce un fantôme ou un démon qu'il puisse ainsi se dérober à la vue ? Ou bien est-ce moi qui suis victime d'un sortilège ? Il s'agit plutôt d'un couard qui se cache car il a peur de moi. C'est bien là la preuve de sa lâcheté. Ha ! fantôme, couarde créature, qui que tu sois, que ne puis-je te tenir en mon pouvoir ! Comment se fait-il que tu aies si peur de moi alors qu'il a bien fallu que tu te montres courageux face à mon seigneur ? Comment aurais-tu pu le tuer si ce n'était par traîtrise ? Tu n'aurais jamais pu le vaincre s'il t'avait vu. Jamais tu n'aurais même osé te mesurer à lui qui n'avait pas son égal en ce monde si tu n'étais qu'un simple mortel.

Tels étaient les tourments et les lamentations de

la dame. Tous les gens du château pleuraient avec elle, montrant clairement que leur peine était profonde. Ils avaient tant cherché, s'étaient tant démenés vainement que, découragés, ils renoncèrent à poursuivre plus avant les recherches et emportèrent le corps pour l'enterrement.

Pendant que les prêtres et les religieuses se rendaient au lieu de sépulture, après le service funèbre, la demoiselle est revenue voir Yvain et lui a dit:

– Cher seigneur, quelle invasion et quel vacarme! Quelle énergie et quelle ardeur ont déployées tous ces gens pour vous trouver! On aurait dit des chiens de chasse sur les traces d'une perdrix ou d'une caille. Vous avez dû avoir peur.

– Ma foi, vous avez raison. Je n'ai jamais eu aussi peur. Serait-il possible que par une fenêtre ou une quelconque ouverture je puisse maintenant voir passer le cortège?

En fait, ni la procession ni la dépouille mortelle ne l'intéressaient le moins du monde. Tout ce qu'il voulait, c'était voir la dame. La demoiselle, qui tenait tant à lui témoigner sa reconnaissance, le plaça devant une petite fenêtre par laquelle il pouvait à loisir épier la belle dame.

– Que Dieu ait pitié de votre âme, mon seigneur et époux bien-aimé. Aucun autre chevalier ne vous égala jamais en vaillance et en courtoisie. La Générosité était votre compagne et le Courage votre compagnon. Que votre âme ait sa place auprès des saints du paradis !

À ces mots, elle déchire tout ce qu'agrippent ses mains. Pour un peu, Yvain irait lui tenir les mains pour l'en empêcher. Mais la demoiselle sagement le raisonne et l'empêche de commettre une telle folie.

– Ici, lui dit-elle, vous êtes en sécurité. Gardez-vous d'en bouger pour quelque raison que ce soit tant que ces gens seront ici. Leur départ ne saurait tarder. Si vous suivez mon conseil, vous en tirerez un grand profit. Vous pouvez rester là et voir tout le monde aller et venir dedans ou dehors sans être vu. Mais demeurez silencieux. Ne commettez aucune imprudence, gardez-vous de faire les folies que vous avez en tête. Comportez-vous en homme raisonnable plutôt que de laisser votre tête en gage à des ennemis qui n'en accepteraient aucune rançon. Tenez-vous tranquille jusqu'à mon retour. Je ne peux m'attarder davantage car, si l'on ne me voyait pas avec tous les autres, on pourrait en concevoir des soupçons et je risquerais d'être sévèrement punie.

Elle le quitte alors, le laissant désemparé. Il est bien ennuyé de n'avoir, de ce chevalier qu'on met en terre, aucune chose à emporter comme preuve de sa victoire en combat. Il ne pourra se défendre face aux sarcasmes de Keu qui ne manquera pas de le blesser une nouvelle fois de ses railleries. Mais de son sucre et de son miel, l'Amour, qui prend possession de lui, adoucit cette ancienne blessure d'amour-propre mal refermée. Son cœur appartient désormais à son ennemie. Il aime celle qui a toutes les raisons de le haïr. Sans le savoir, la dame a bien vengé la mort de son mari. Vengeance d'Amour est bien plus rigoureuse que tout ce qu'elle aurait pu imaginer. Avec douceur, portant ses coups par les yeux, il a atteint le cœur. Blessure d'Amour est plus durable que coup de lance ou d'épée. Blessure d'épée se cicatrise et guérit très vite dès qu'un médecin la soigne mais plaie d'Amour s'aggrave quand le médecin est proche.

Telle est la plaie qui fait souffrir monseigneur Yvain et dont il ne guérira jamais. L'Amour s'est totalement livré à lui sans s'avilir comme parfois quand il descend en des lieux indignes. Ayant trouvé là bonne maison où il sera traité avec honneur et domaine libre dont nul ne pourra lui faire reproche de s'accaparer, il s'y est installé.

Ainsi Amour qui est noble devrait-il toujours se comporter.

Une fois l'enterrement terminé et tout le monde reparti, la dame resta seule avec sa peine. Tantôt elle se prenait la gorge, se tordait les poings, frappait ses mains l'une contre l'autre, tantôt elle lisait des psaumes dans un psautier enluminé de lettres d'or.

Toujours derrière sa fenêtre, monseigneur Yvain la regarde et plus il la contemple, plus elle lui plaît et plus il l'aime. Il voudrait qu'elle renonce à ses pleurs et à ses pieuses lectures et qu'elle daigne lui parler mais il désespère de voir son désir se réaliser.

– Je suis fou, se dit-il, de désirer ce que je ne peux avoir. J'ai blessé à mort son mari et je voudrais faire la paix avec elle. Pour le moment, elle me hait plus que tout au monde et à bon droit. Mais souvent femme varie. Peut-être changera-t-elle de sentiment? Elle ne peut manquer d'en changer et j'aurais tort de désespérer. Que Dieu fasse que ce soit pour bientôt! Suis-je son ami? Sans doute puisque je l'aime. Je suis pourtant son ennemi puisque j'ai tué son mari. Mais mon désir de l'aimer est si fort que je ne peux être que son ami. Je souffre de la voir arracher ses beaux cheveux ou de voir ces larmes intarissables couler de ses yeux sans même en ternir la beauté. Ses pleurs m'émeuvent mais ce qui m'est plus insupportable encore c'est de la voir griffer son visage aux contours parfaits, aux traits d'une douceur extrême, au teint le plus délicat. Mon cœur se brise quand elle se serre la gorge, qu'elle se tord les mains ou se frappe la poitrine. Elle est si belle ainsi, quel ravissement ce serait si elle était heureuse !

Voilà en quels termes monseigneur Yvain évoque celle qui est en proie à la douleur. Nul encore n'aima d'aussi folle manière d'un amour dont il n'osera jamais faire l'aveu.

Il reste à la fenêtre jusqu'à ce que la dame s'en retourne et que l'on fasse descendre les deux portes coulissantes. Peu lui importe qu'elles soient ouvertes ou fermées. Il ne s'en irait pas même si la dame, lui pardonnant la mort de son époux, l'autorisait à quitter la ville. Amour et honte le retiennent. Il a une telle envie de voir la dame, à défaut d'en obtenir davantage, qu'il ne se soucie pas de la prison et aimerait mieux mourir plutôt que de s'en aller librement. Et s'il s'en retourne sans preuve, nul ne voudra croire à son exploit.

La demoiselle qui venait pour le réconforter, lui

tenir compagnie et le distraire, lui apporter tout ce dont il avait besoin, le trouva plongé dans ses pensées et plein de langueur à cause de l'amour qui s'était emparé de lui.

– Monseigneur Yvain, lui demanda-t-elle, comment avez-vous passé la journée?

– Merveilleusement bien

– Merveilleusement bien? Comment pouvez-vous dire cela alors qu'on vous cherche pour vous tuer, à moins que vous ne souhaitiez votre propre mort?

– Certes, ma chère amie, je vous assure que je ne cherche pas à mourir. C'est ce que j'ai vu aujourd'hui qui m'a ravi et me ravira toujours.

– J'ai bien compris où vous voulez en venir, dit la jeune fille qui n'était pas sotte. Maintenant, je vais m'occuper de vous libérer. Si vous le voulez, dès ce soir vous serez en lieu sûr. Venez avec moi.

Tout en parlant, il la suivit dans une petite chambre où elle lui apporta tout ce dont il pouvait avoir besoin.

– Je ne suis pas près de m'enfuir comme un voleur, de nuit ou en cachette, répondit-il à son offre d'évasion. Je ne sortirai d'ici qu'honorablement et je veux que tout le monde soit assemblé dans les rues sur mon passage.

Le moment venu, la demoiselle se souvint de ce que lui avait confié Yvain; elle était en si bons termes avec sa maîtresse, dont elle était à la fois la gouvernante et la confidente, qu'il n'y avait rien qu'elle n'osât lui dire, quelle que soit la gravité du propos. Pourquoi aurait-elle eu peur de la réconforter et de la conseiller au mieux de ses intérêts?

– Madame, lui dit-elle, je m'étonne que vous ne vous comportiez pas de façon plus raisonnable. Pensez-vous que ce chagrin auquel vous vous laissez aller vous rendra votre mari?

– Certes pas. Tout ce que je veux, c'est mourir.

– À quoi bon?

– Pour le rejoindre.

– Que Dieu vous en préserve! Qu'il vous donne plutôt, comme il en a le pouvoir, un autre époux aussi vaillant!

– Quels vains propos! Vous savez bien que jamais il ne pourra m'en donner un qui sera son égal.

– Il pourra même vous en donner un meilleur et, si vous me le permettez, je vais vous le prouver.

– Tais-toi et va-t'en. Jamais je n'aurai un autre mari qui égalera celui-là.

– Pouvez-vous me dire, madame, ne vous en déplaise, qui défendra votre terre la semaine prochaine quand le roi Arthur viendra à la fontaine ? La demoiselle Sauvage vous a envoyé un message pour vous en avertir. Comme vous avez mal tenu compte de cet avertissement ! Au lieu de prendre des dispositions pour défendre votre fontaine, vous ne cessez de pleurer ! Pourtant, il n'y aurait pas de temps à perdre. Tous vos chevaliers n'ont pas plus de vaillance qu'une femme de chambre et le plus courageux d'entre eux ne rompra ni lance ni écu en cette occasion. Aucun d'eux ne sera assez téméraire pour monter à cheval et opposer la moindre résistance au roi et à ses chevaliers.

La dame a parfaitement conscience de la justesse des propos de la jeune fille. Mais, comme presque toutes les femmes, elle s'entête dans sa folie et se refuse à admettre l'évidence.

– Va-t'en, dit-elle, ne me parle plus de cela. Hors de ma vue ou tu t'en repentiras !

– À la bonne heure, madame ! On voit bien que vous êtes une femme puisque vous vous fâchez quand on vous prodigue des conseils pleins de sagesse.

La jeune fille sortit, laissant sa maîtresse seule à ses réflexions. La dame regrettait déjà sa conduite et aurait bien voulu savoir comment la demoiselle pourrait lui prouver qu'il était possible de trouver un chevalier meilleur que son défunt mari. Elle aurait aimé le savoir mais elle lui avait interdit de le dire. Elle tourna et retourna cette pensée dans sa tête jusqu'au retour de sa suivante.

– Madame, lui dit la demoiselle en dépit de la défense qui lui avait été faite, convient-il vraiment que vous mouriez de chagrin? Reprenez-vous. Retrouvez le sens de l'honneur qui convient à une dame de votre rang. Croyez-vous que toute prouesse soit morte avec votre seigneur? Il y a bien par le monde cent chevaliers qui le valent et cent qui le surpassent.

– Que Dieu me damne si ce n'est pas là un mensonge! Nomme-m'en un seul qui soit aussi vaillant que le fut mon époux.

– Vous vous fâcherez à nouveau contre moi.

– Je n'en ferai rien, je te le promets.

– Peut-être allez-vous me trouver insolente, mais ce que je vais dire, c'est dans votre intérêt et pour votre honneur. Si je me permets de vous parler ainsi, c'est que personne ne nous écoute. Quand deux chevaliers livrent bataille l'un contre l'autre, lequel, à votre avis, est le meilleur? Le vainqueur ou le vaincu? Pour ma part, j'accorderais le prix au vainqueur. Et vous?

– Je sens que tu me tends un piège.

– Par ma foi, il faut vous rendre à l'évidence. celui qui a vaincu votre mari a plus de valeur que lui. Il ne s'est pas contenté de le vaincre, il a même eu l'audace de le poursuivre jusque dans son propre château.

– C'est la plus grande monstruosité que j'aie jamais entendu proférer. Hors d'ici, mauvaise conseillère, garce folle et impertinente ! Ne remets plus les pieds ici pour tenir de tels propos.

– Madame, je savais bien que vous alliez vous fâcher. Je vous avais prévenue mais vous n'avez pas tenu votre promesse de ne pas vous mettre en colère. J'ai perdu une bonne occasion de me taire.

À ces mots, elle retourne dans la chambre où se repose monseigneur Yvain dont elle est bien heureuse de s'occuper. De son côté, ignorant tout de ce que la demoiselle est en train de manigancer, il trouve insupportable de ne plus pouvoir voir la dame.

Trop préoccupée par la défense de la fontaine pour trouver le sommeil, la dame commence à regretter de n'avoir pas bien écouté sa suivante, de l'avoir rabrouée alors qu'elle n'agissait ainsi ni pour avoir une récompense ni par amour du chevalier mais en loyale conseillère, soucieuse de l'intérêt de sa maîtresse. La voilà donc qui change d'avis à propos des conseils de la demoiselle et qui trouve au chevalier des excuses conformes au droit et à la raison. Elle s'imagine instruisant le procès du chevalier comparaissant devant elle :

– Peux-tu nier que c'est toi qui as tué mon mari ?

– C'est un fait que je ne peux contester.

– Pourquoi l'as-tu fait ? Me haïssais-tu ? As-tu voulu me nuire ?

– Que je meure sur-le-champ si jamais j'ai cherché à vous nuire !

– En conséquence, tu n'as commis aucune faute à mon égard et tu n'as nul tort envers mon mari car, s'il avait pu, c'est lui qui t'aurait tué. Ainsi, me semble-t-il, t'ai-je jugé conformément au droit.

Elle se fait ainsi à elle-même la démonstration qu'elle aimerait entendre : conformément au droit, au bon sens et à la raison, elle n'a aucun motif de haïr le chevalier. Comme la bûche qui longtemps fume avant de s'enflammer d'elle-même sans que personne n'ait soufflé dessus, cette pensée couve en son esprit. Si la demoiselle était revenue à ce moment-là, elle n'aurait eu aucun mal à gagner la cause pour laquelle elle s'était fait si vertement réprimander.

Lorsqu'elle revint, au matin, la demoiselle reprit son discours là où elle l'avait laissé. La dame, qui se reprochait d'avoir insulté la jeune fille, gardait la tête baissée. Elle désirait ardemment se faire pardonner et en savoir plus sur le chevalier : son nom, sa condition et son lignage. Aussi, en femme sensée, lui présenta-t-elle ses excuses en ces termes :

– Je vous demande pardon pour les propos blessants et insultants que je vous ai inconsidérément adressés. C'est vous qui aviez raison. Dites-moi maintenant ce que vous savez du chevalier dont vous m'avez parlé. Est-il un parti convenable pour moi ? S'il ne s'y oppose pas, je suis disposée à le faire seigneur de ma terre et de moi-même. Mais il ne faudra pas qu'on puisse dire en parlant de moi : « C'est celle qui a épousé le meurtrier de son mari. »

– Madame, nous ferons en sorte que cela n'arrive pas. Vous aurez pour mari l'homme le plus aimable, le plus noble et le plus beau depuis que le monde existe.

– Quel est son nom ?

– Monseigneur Yvain.

– Par ma foi, il est de haute noblesse. N'est-ce pas le fils du roi Urien ?

– C'est cela.

– Quand pourrons-nous l'avoir ici ?

– Dans cinq jours.

– Ce délai est trop long. Je voudrais tant qu'il soit déjà là ! Qu'il vienne ce soir ou demain au plus tard.

– Madame, je crois qu'aucun oiseau ne pourrait parcourir autant de chemin en une seule journée. Je vais envoyer un de mes valets très rapide qui fera son possible pour arriver à la cour du roi Arthur demain soir.

– C'est encore trop tard. Les jours me semblent longs. Dites-lui qu'il force l'allure encore plus que d'habitude, qu'il profite du clair de lune pour voyager aussi la nuit et faire ainsi les deux journées en une. S'il est de retour demain soir, je le récompenserai généreusement.

– Je m'en occupe. Vous aurez le chevalier dans trois jours au plus tard. Entre-temps, convoquez vos barons et demandez-leur conseil sur la conduite à tenir pour maintenir la coutume de défendre la fontaine lors de la venue du roi Arthur. Aucun de vos barons, si haut soit-il, n'osera se vanter d'y aller. Vous pourrez alors leur dire à bon droit qu'il vous serait nécessaire de vous remarier, qu'un chevalier de grand renom vous a déjà fait sa demande mais que vous n'osez l'accepter sans avoir leur accord à tous. Je ne doute pas du résultat. Je connais leur lâcheté. Si vous leur épargnez ainsi ce fardeau trop lourd pour eux, leur soulagement sera tel qu'ils viendront tous se jeter à vos pieds pour vous remercier de cette décision. Qui a peur de son ombre se garde bien d'affronter lance ou flèche qui sont jeux trop dangereux pour les couards.

– C'est exactement ainsi que nous allons procéder car c'est précisément ce que, de mon côté, j'avais envisagé, répond la dame. Mais que faites-vous encore ici? Allez, démenez-vous pour qu'il soit là à temps. Pour ma part, je vais immédiatement convoquer mes barons.

Ainsi prit fin l'entretien. La demoiselle fit semblant d'envoyer chercher monseigneur Yvain dans son pays. Chaque jour, elle lui faisait prendre un bain, lui lavait la tête, le peignait. De plus, elle lui prépara une robe d'écarlate vermeille garnie de fourrure d'écureuil. Elle n'épargna rien pour le rendre tout à fait élégant et choisit à son intention une broche d'or ornée de pierres précieuses pour fermer son col, une ceinture et une aumônière de riche étoffe.

Quand le temps fut écoulé, elle alla annoncer

à sa dame que le messager était de retour après s'être bien acquitté de sa mission.

– Quand monseigneur Yvain arrivera-t-il ?

– Il est déjà là.

– Déjà là ? Qu'il vienne donc tout de suite, le plus discrètement possible. Veillez à ce que le secret soit bien gardé et que personne, à part nous trois, ne le sache.

La demoiselle est retournée voir son hôte, se gardant bien de laisser apparaître sur son visage la joie qu'elle avait au cœur. Elle lui dit seulement que sa maîtresse savait maintenant qu'elle le gardait caché ici.

– Monseigneur Yvain, au point où en sont les choses, il n'est plus temps de vous cacher que ma maîtresse sait tout, m'en tient rigueur et m'accable de reproches. Elle m'a cependant assuré que je pouvais vous conduire devant elle sans que vous n'ayez rien à craindre. Je sais qu'elle ne vous fera aucun mal. Elle veut – je ne peux vous le cacher pour ne pas trahir votre confiance – vous garder en sa prison. Mais elle ne se contentera pas de retenir votre corps, elle veut avoir aussi votre cœur.

– Certes, dit-il, je consens bien volontiers à aller en sa prison.

– Donnez-moi la main ; je vais vous mener à ma dame mais je vous conseille de vous présenter humblement devant elle afin qu'elle ne vous réserve pas une prison trop rigoureuse, ce qui, je crois, serait bien étonnant.

Ainsi, tout en le conduisant, elle l'inquiétait et le rassurait à la fois en parlant de la prison qui l'attendait. Prison, c'est bien le terme qui convient puisqu'on n'est plus libre quand on est amoureux.

Quand il entra dans la chambre et aperçut la dame, assise sur une courtepointe rouge, monseigneur Yvain n'en menait pas large. Il resta là, muet, figé, craignant d'avoir été trahi.

– Maudite soit celle qui mène dans la chambre d'une belle dame un chevalier qui a perdu sa langue et est trop dénué d'esprit pour lier connaissance ! railla la demoiselle. Avez-vous peur qu'elle vous morde ? Approchez-vous de ma dame et demandez-lui plutôt qu'elle vous pardonne la mort d'Esclados le Roux qui était son mari et qu'elle accepte de faire la paix avec vous. Je joindrai mes prières aux vôtres.

Monseigneur Yvain, joignant les mains, s'agenouilla devant la dame et trouva enfin les mots pour lui parler comme un ami véritable :

– Madame, loin d'implorer votre pitié, je vous

remercierai du sort que vous me réservez car rien de ce que vous déciderez ne pourra me déplaire.

– Vraiment ? Et si je vous fais tuer ?

– Madame, vous ne m'entendrez jamais dire autre chose que des remerciements.

– Je n'ai jamais rien entendu de tel ! Vous vous soumettez sans condition à mon pouvoir sans même que je vous y contraigne !

– Madame, en vérité, aucune force n'est aussi contraignante que celle qui me commande la soumission totale à votre volonté. Si je pouvais réparer la mort dont je me suis rendu coupable envers vous, je m'en acquitterais sans discuter.

– Dites-moi – et je vous en tiendrai quitte – si vous avez commis une faute en tuant mon époux.

– Pardonnez-moi, madame, mais quand votre mari m'a attaqué quel tort ai-je eu de me défendre ? Si en se défendant un homme tue celui qui voulait sa mort, est-il vraiment coupable ?

– Non, en regard du droit, et je crois bien que je ne gagnerais rien à vous faire mettre à mort. Maintenant, je voudrais que vous m'expliquiez d'où vous vient cette force qui vous ordonne de vous plier à ma volonté.

– De mon cœur qui vous est attaché.

– Et qui en a donné l'ordre à votre cœur ?

– Madame, ce sont mes yeux

– Et aux yeux?

– La grande beauté que j'ai découverte en vous voyant.

– Et cette beauté, de quoi est-elle coupable?

– De m'avoir rendu amoureux.

– De qui?

– De vous.

– De moi? Vraiment? Et de quelle manière?

– De manière telle qu'il n'est pas de plus grand amour, que mon cœur ne bat que pour vous, que je ne peux penser qu'à vous, que je suis tout à vous, que je vous aime plus que moi-même et que, si tel est votre désir, je veux sur-le-champ mourir ou vivre pour vous.

– Et oseriez-vous entreprendre pour moi de défendre la fontaine?

– Oui, madame. Contre qui que ce soit.

– Alors sachez que la paix est conclue entre nous.

Sans plus de cérémonie, les voilà réconciliés.

La dame, qui avait auparavant réuni son assemblée, dit à Yvain:

– Nous allons nous rendre dans la salle où sont réunis mes barons. Ils m'ont convaincue de la nécessité de me remarier. Je vais leur annoncer que j'y consens. Il ne serait pas raisonnable que mon choix se porte sur un autre que vous alors que vous êtes bon chevalier et fils de roi.

Ainsi, la demoiselle a réussi ce qu'elle avait entrepris et voilà qu'Yvain le prisonnier est devenu seigneur et maître.

La dame l'emmena dans la grande salle où chevaliers et serviteurs étaient assemblés. Monseigneur Yvain avait une telle prestance que, lorsqu'il entra, tous furent émerveillés. Ils se mirent debout et s'inclinèrent pour le saluer avec déférence.

– Voici donc celui que notre dame veut prendre pour époux, se disait-on de toutes parts. Qui lui refuserait son accord aurait grand tort car il a vraiment l'air d'un parfait chevalier tout à fait digne de l'impératrice de Rome. Puissent-ils tous les deux être déjà d'accord pour que le mariage ait lieu au plus tôt, dès aujourd'hui ou demain !

À l'extrémité de la salle, la dame alla prendre place bien en vue de toute l'assemblée. Yvain s'apprêtait à s'asseoir à ses pieds mais elle le fit relever et invita le sénéchal à prononcer son discours.

– Seigneurs, commença-t-il, vous savez qu'une guerre nous menace. Le roi Arthur se prépare à venir dévaster nos terres. Dans moins d'une quinzaine de jours, la désolation sera complète si nous ne lui opposons pas un bon défenseur. Quand madame se maria, il y a un peu moins de sept ans, elle le fit sur votre conseil. Aujourd'hui, son mari est mort et elle en éprouve un immense chagrin. Quelques pieds de terre suffisent désormais à celui qui gouvernait si bien tout le pays. Quel malheur qu'il ait si peu vécu! Une femme ne peut ni porter l'écu ni frapper de la lance. Invitez-la donc, puisque la nécessité nous y oblige, à prendre un nouvel époux afin que ne se perde la coutume instituée il y a plus de soixante ans.

Ils déclarèrent unanimement que c'était bien ainsı qu'il fallait agir et ils vinrent tous à ses pieds la presser de faire ce qu'elle avait déjà décidé. Elle se fit longuement prier comme si elle ne cédait qu'à contrecœur alors qu'elle était prête à épouser Yvain même contre leur volonté.

– Seigneurs, finit-elle par déclarer, puisque vous le voulez ainsi, voici un chevalier qui m'a, avec insistance, demandée en mariage et propose de se consacrer à mon service. Exprimez-lui votre reconnaissance comme je lui exprime la mienne. Il s'agit d'Yvain, le fils du roi Urien. Vous avez sans doute déjà entendu parler de lui. Il est de noble lignage et de grande bravoure; il fait preuve de tant de courtoisie et de sagesse qu'on ne saurait me reprocher ce choix.

Et tous de lui recommander:

– Ne retardez pas cette union, ce serait une folie.

Elle se laissa si bien prier qu'elle accorda à ses barons ce que l'Amour lui commandait. Mais elle estimait plus honorable de ne le faire qu'avec leur assentiment. Comme le cheval force l'allure quand on l'éperonne, elle ne différa pas le mariage.

Ainsi, le jour même, Laudine de Landuc, fille du duc Laudunet, épousa monseigneur Yvain. Les évêques, les abbés et toute la noblesse de la contrée furent conviés à ces noces qui furent célébrées avec un grand faste dans la joie et l'allégresse et se prolongèrent jusqu'à la veille de la venue du roi Arthur.

IV
LE ROI ARTHUR
À LA FONTAINE MERVEILLEUSE

Voilà donc monseigneur Yvain devenu seigneur du lieu. Le mort est bien vite oublié : celui qui l'a tué a épousé sa femme, partage son lit, et les gens du château, qui aiment plus leur nouveau seigneur qu'ils n'aimaient le défunt, le servent de bon gré.

Vint le jour où le roi se rendit à la fontaine merveilleuse. Tous ses barons et toute la cour sans exception participaient à cette chevauchée.

– Hélas, persifla Keu, qu'est donc devenu Yvain qui s'était vanté à la fin d'un repas d'aller venger son cousin? Il est clair qu'il avait un peu abusé de la boisson ce jour-là. Il se dérobe aujourd'hui. Ainsi, prenant ses auditeurs pour des imbéciles, le lâche se vante au coin du feu sans apporter la moindre preuve de ses exploits alors que le preux parle peu et sa modestie souffre d'entendre vanter ses mérites. Mais je dis que le lâche n'a pas tort car, s'il ne disait pas du bien de lui, qui donc le ferait à sa place?

Monseigneur Gauvain répliqua aux propos de Keu:

– Pitié, monseigneur Keu, je vous en prie. Si Yvain n'est pas ici, vous ignorez quelle grave raison le retient ailleurs et, pour sa part, il ne s'est jamais abaissé à tenir sur vous des propos infâmants.

– Je me tairai donc puisque je vois que mes paroles vous déplaisent.

Là-dessus, le roi, qui voulait voir le prodige de la fontaine, versa un plein bassin d'eau sur la grosse pierre ombragée par le pin. Il se mit aussitôt à pleuvoir à torrents. Yvain, revêtu de ses armes, ne tarda pas à surgir de la forêt au grand galop, sur un cheval fougueux et robuste.

Monseigneur Keu n'avait qu'une envie: combattre en premier, selon son habitude, quelle que soit l'issue du combat. Il vint aux pieds du roi le prier de lui accorder le premier assaut.

– Keu, répondit le roi, puisque vous êtes le premier à en faire la demande, je ne saurais vous refuser ce privilège.

Le sénéchal remercie le souverain puis monte

en selle. Yvain, qui a reconnu les armoiries de Keu, a bien envie de lui donner une leçon et ne se gênera pas pour le faire. Il a déjà saisi son écu par les énarmes. Keu fait de même. Éperonnant les chevaux, baissant leurs lances qu'ils tiennent solidement au niveau de la butée, tous deux s'élancent l'un contre l'autre.

Le choc est si violent que les deux lances se brisent et que le bois éclate sur toute la longueur. Yvain a porté à Keu un coup si rude que le sénéchal, soulevé de sa selle, fait la culbute sur la croupe de son cheval et vient atterrir sur le heaume. Monseigneur Yvain ne cherche pas à lui faire plus de mal. Il se contente de mettre pied à terre et de s'emparer du cheval de son adversaire.

– Ah! Ah! se réjouissent bien des chevaliers, vous voilà à terre, vous qui vous moquiez des autres. Cependant, il est juste que nous vous le pardonnions car c'est la première fois qu'une telle mésaventure vous arrive.

Yvain, tenant par le frein le cheval qu'il venait de conquérir, se présenta devant le roi pour le lui remettre en disant:

– Seigneur, prenez ce cheval car ce serait mal agir de ma part si je gardais ce qui vous appartient.

– Qui êtes-vous? demanda le roi. Je ne saurai

jamais qui vous êtes si vous ne vous nommez pas ou si vous ne montrez pas votre visage.

Alors, Yvain révéla son identité et Keu en demeura interdit, mort de honte et de confusion à cause des propos qu'il avait tenus. Les autres et le roi lui-même ne manquent pas de se réjouir de sa nouvelle dignité et Gauvain plus que les autres car Yvain était, de tous les chevaliers, celui dont il appréciait le plus la compagnie.

Le roi lui demanda de bien vouloir raconter toute son aventure. Yvain fit un récit fidèle et complet sans rien omettre de tout ce que la demoiselle avait fait pour lui. Ensuite, il pria le roi de lui faire l'honneur et le plaisir d'accepter l'hospitalité qu'il leur offrait à tous. Le roi promit de séjourner en sa compagnie huit jours pleins. Yvain l'ayant remercié, les chevaliers, sans plus attendre, montèrent à cheval et se dirigèrent droit vers le château.

Monseigneur Yvain envoie au-devant de la troupe un écuyer portant sur le poing un faucon afin que la dame soit avertie de leur arrivée et que les maisons soient décorées en l'honneur du roi Arthur. Cette nouvelle réjouit le cœur de la dame et la liesse fut générale. La dame invita ses barons à chevaucher à la rencontre du roi, ce qu'ils firent de bon gré tant ils étaient désireux de lui être agréables.

Montés sur de grands chevaux d'Espagne, ils s'en vinrent à la rencontre du roi qu'ils saluèrent avec déférence et, après lui, tous ceux qui l'accompagnaient.

– Bienvenue à toute cette noble compagnie, disent-ils, et béni soit celui qui marche à leur tête pour conduire jusqu'à nous des hôtes de cette qualité.

En l'honneur du roi Arthur, tous les habitants du château manifestent bruyamment leur joie. On a déroulé des étoffes de soie le long des murs pour les décorer, étalé des tapis sur le chemin du roi et tendu des étoffes en travers des rues pour le protéger du soleil. Le château tout entier retentit du son des cloches, des cors et des trompettes.

Des jeunes filles s'avancent en dansant au son des vielles, des flûtes et des fretels, des tambours et des tambourins tandis que des jeunes gens bondissent avec agilité. Tous rivalisent de gaieté pour accueillir le roi le mieux possible.

La dame à son tour, d'une démarche impériale, fit son apparition. Vêtue d'une robe bordée de fourrure d'hermine, un diadème serti de rubis couronnant son front, la joie illuminant son visage, elle était, il faut le dire, plus belle qu'une déesse. Autour d'elle, se pressait une foule très dense où chacun répétait:

– Bienvenue au plus grand des rois et des seigneurs du monde!

Le roi Arthur avait bien du mal à répondre à tous ceux qui l'acclamaient lorsque la dame s'approcha de lui pour lui tenir l'étrier. Courtoisement, il devança son geste en se hâtant de descendre de cheval[1].

– Soyez mille fois bienvenu, monseigneur, lui dit-elle en guise de salut, et béni soit le seigneur Gauvain, votre neveu!

– Belle dame, répondit le roi, je vous souhaite grande joie et bonheur sans mélange.

Puis, en geste de courtoisie, il la serra dans ses bras et elle fit de même. Inutile de gaspiller mes mots pour vous raconter comment elle accueillit les autres. Sachez seulement que, jamais, à ce que j'ai entendu dire, accueil ne se fit avec autant d'honneur et de joie. Je voudrais seulement évo-

1. Tenir l'étrier pour aider le cavalier à descendre de cheval est un signe habituel de politesse et de savoir-vivre. L'opération est difficile pour un chevalier en armure qui doit souvent avoir recours à un « perron » (grosse pierre, haute marche) pour descendre seul. Le vavasseur accueille ainsi Calogrenant. Personne ne daigne tenir l'étrier de la demoiselle venue reprendre l'anneau d'Yvain.

quer rapidement une rencontre qui eut lieu en privé : celle de la lune et du soleil. Avez-vous deviné de qui je veux parler ?

Le meilleur et le plus renommé des chevaliers mérite bien d'être appelé le soleil. Monseigneur Gauvain est le soleil de la chevalerie car, par lui, elle rayonne en tous lieux de même que le soleil du matin, déployant ses rayons, inonde tout de sa clarté.

Si je compare la demoiselle à la lune, je le fais non seulement pour sa grande sagesse et son dévouement sans pareil, mais aussi à cause de son nom. En effet, elle s'appelait Lunette. C'était une charmante brunette, sage, avisée et ingénieuse. Elle noua de tendres liens avec monseigneur Gauvain qui avait toutes les raisons de lui être reconnaissant et de l'aimer puisqu'elle avait sauvé de la mort son compagnon et ami, Yvain. Aussi la considère-t-il comme son amie et lui offre-t-il de la servir.

Elle lui raconta comment elle s'était démenée pour sauver Yvain en le dissimulant aux regards de ceux qui le cherchaient puis pour convaincre sa dame de l'épouser. Gauvain prit beaucoup de plaisir à écouter ce récit et dit :

– Mademoiselle, le chevalier que je suis est désormais entièrement à votre service en toutes circonstances. Ne me changez jamais pour un autre, à moins que vous n'en trouviez un meilleur. Je suis votre chevalier. Soyez donc désormais ma demoiselle.

Tandis que tous deux s'engageaient mutuellement leur foi, les autres chevaliers devisaient galamment avec les nobles dames et demoiselles du château qui étaient toutes belles, gracieuses et pleines d'esprit. Certains les prenaient par le cou, d'autres échangeaient même un baiser. Telles furent, pour le moins, les faveurs qu'on leur accorda au cours de ces divertissements mondains et galants.

Ils passèrent ainsi une agréable semaine, chacun trouvant l'occupation qu'il souhaitait : chasser dans la forêt ou le long des rivières ou bien aller d'un château à l'autre pour découvrir toute l'étendue du domaine conquis par monseigneur Yvain.

Quand le roi eut séjourné le temps qu'il souhaitait, il ordonna les préparatifs du départ. Mais tout au long de la semaine qu'avait duré le séjour, aucun des chevaliers n'avait ménagé sa peine pour tenter de convaincre monseigneur Yvain de repartir avec eux.

– Comment, disait Gauvain, serez-vous de ceux qui, à cause de leur femme, valent moins ? Honte à celui que le mariage fait déchoir! Qui a pour amie ou épouse une belle dame doit accroître sa valeur car il n'est pas juste qu'elle continue de l'aimer si son renom et sa gloire se ternissent. L'amour vous causera bien des tourments si vous vous montrez moins vaillant car une femme a bien vite fait de mépriser celui qui déchoit à cause d'elle. On ne saurait alors lui donner tort de reprendre son amour. Plus que jamais, augmentez votre gloire. Lâchez les rênes et le licou, nous irons courir les tournois ensemble et nul ne vous prendra pour un jaloux qui n'ose quitter des yeux sa femme. Vous ne devez pas rester à rêver mais hanter les tournois, être de tous les combats et tout mettre à bas quoi qu'il vous en coûte. Qui reste à ne rien faire devient tout songeur. Il vous faut venir. Je me battrai à vos côtés. Prenez garde de ne pas briser notre beau compagnonnage. On finit par se lasser d'un confort qui dure trop longtemps. On goûte bien davantage un petit bonheur long-temps désiré qu'un grand bonheur dont on profite sans l'avoir attendu. L'amour qui tarde à s'épa-nouir est semblable au bois vert qui brûle en donnant une chaleur d'autant plus intense et plus durable qu'il a pris du temps pour s'enflammer jusqu'au cœur. Si vous attendiez trop longtemps, vous ne seriez peut-être plus capable de repartir. Sans doute ne dirais-je pas cela si j'avais une amie aussi belle que votre femme, mon cher compagnon, car il me serait si difficile de la quitter que j'en perdrais la tête. Mais, comme tous ces prédicateurs qui ne sont que de fieffés menteurs et prêchent une morale qu'ils ne pratiquent pas, je vous prodigue des conseils que je serais bien incapable de suivre.

Monseigneur Gauvain sut tant de fois reprendre son propos qu'Yvain lui promit d'en parler à sa femme et de retourner en Bretagne s'il obtenait son accord.

Il prend à part Laudine qui ne se doute de rien et lui dit :

— Ma très chère femme, vous qui êtes mon cœur, mon âme, mon bien et ma joie de vivre, accordez-moi ce que je vais vous demander pour votre honneur et pour le mien.

Sans savoir de quoi il s'agit, elle donne par avance son accord, ajoutant même :

— Mon cher époux, vous pouvez me demander tout ce que bon vous semblera.

Yvain lui demande alors l'autorisation d'accompagner le roi et d'aller aux tournois afin qu'on ne puisse pas lui reprocher d'oublier la chevalerie.

— Je vous accorde le congé que vous demandez,

dit-elle, mais, si vous voulez garder mon amour, soyez de retour auprès de moi dans un an au plus tard, huit jours après la Saint-Jean dont on célèbre aujourd'hui l'octave. Passé ce délai, soyez sûr que l'amour que j'ai pour vous se changera irrévocablement en haine. Si vous ne savez pas tenir votre parole, moi, je tiendrai la mienne.

Monseigneur Yvain pleure et soupire si fort qu'il peut à peine articuler :

– Madame, ce délai est très long. Si je pouvais être une colombe, je volerais souvent jusqu'à vous. Je prie Dieu qu'il ne permette pas que je reste éloigné de vous si longtemps. Mais on projette parfois de revenir très vite sans savoir ce que l'avenir nous réserve et j'ignore ce qui m'attend. Il se peut que, malgré moi, je sois retardé ; si je tombe malade ou si je suis retenu prisonnier. Vous n'avez pas prévu ces cas de contrainte physique

– Seigneur, je vous les accorde aussi. Et je vous assure que, à la seule condition que Dieu vous préserve de la mort, rien de fâcheux ne pourra vous arriver tant que vous vous souviendrez de moi. Passez à votre doigt cet anneau qui m'appartient et que je vous confie. Le pouvoir de sa pierre est tel qu'aucun amant sincère et fidèle ne peut être blessé ni retenu prisonnier. Celui qui le porte et garde ainsi précieusement le souvenir de son amie en devient plus dur que le fer. Cet anneau sera votre haubert et votre écu. Jamais encore je ne l'ai remis à qui que ce soit. Je vous le donne par amour pour vous.

Le roi, décidé à partir, donna l'ordre que tous les palefrois soient sellés et harnachés sans retard, ce qui fut fait aussitôt.

Je ne sais que vous dire des adieux d'Yvain et de Laudine sinon qu'il y eut de tendres baisers mouillés de bien des larmes. Vous dirai-je aussi que la dame, accompagnée de ses demoiselles et de ses chevaliers, fit une escorte au roi ? Inutile de m'attarder. Sachez qu'elle pleurait si abondamment que le roi, tout ému, la pressa de retourner, bien malgré elle, en son château.

V
LA FOLIE D'YVAIN

C'est bien à regret que monseigneur Yvain s'est séparé de sa femme mais seul son corps accompagne le roi car son cœur est si étroitement lié à celle qu'il aime qu'il en est inséparable. C'est merveille qu'ils arrivent à survivre l'un sans l'autre. Le corps va désormais devoir vivre avec l'espoir de rejoindre le cœur dans son agréable séjour. Mais il arrive souvent que l'espoir soit déçu et je pressens qu'Yvain, malgré l'avertissement de sa dame, oubliera le terme fixé car, à hanter, en compagnie de Gauvain, tous les lieux où l'on tournoie, il ne voit pas le temps passer.

Durant une année entière, Yvain s'est dépensé sans compter et couvert de gloire tandis que Gauvain n'a pas manqué de le seconder ni de lui rendre hommage. L'année s'est ainsi écoulée, puis une partie de la suivante.

À la mi-août, le roi convoqua à nouveau sa cour et, en cette occasion, organisa des festivités. Nos deux compagnons revenaient d'un tournoi où, la veille, ils avaient remporté le prix. Ne voulant pas être hébergés en ville, ils avaient fait dresser leurs tentes à l'extérieur des murs. Comme ils ne venaient pas à la cour du roi, c'est le roi qui vint à eux car, là où ils étaient, se trouvaient les meilleurs de tous les chevaliers.

Le roi était assis entre eux lorsque, pour la première fois, Yvain se mit à penser au congé que lui avait accordé sa dame. Comprenant qu'il avait manqué à sa parole et laissé passer le terme convenu, il eut bien du mal à retenir ses larmes.

Il était ainsi plongé dans ses pensées quand, montée sur un noir palefroi à balzanes, une demoiselle survient au grand galop. Elle met pied à terre devant leur tente sans que personne ne s'avance pour lui tenir l'étrier ni prendre son cheval. Ayant laissé tomber, comme il se doit, son manteau de voyage[1], elle entre dans la tente où se trouvait le roi et vient droit à lui.

– Ma dame, lui dit-elle, salue le roi, monseigneur Gauvain et tous les autres chevaliers à l'ex-

---

1. «Un messager qui arrive de l'extérieur enlève son manteau devant le roi pour bien établir qu'il n'est pas là en spectateur désœuvré comme les autres, mais en homme qui a des nouvelles importantes à transmettre au roi», Lucien Foulet, *Glossaire de la première continuation de Perceval,* Philadelphie, American Philosophical Society, 1955, p. 179.

ception d'Yvain, le déloyal, le trompeur, le menteur, le fourbe, qui l'a abusée et abandonnée. Il s'est fait passer pour un amant fidèle alors qu'il n'était qu'un voleur. Profitant qu'elle était sans méfiance, il lui a dérobé son cœur. Les vrais amants n'agissent pas ainsi. S'ils s'emparent du cœur de leur amie, c'est pour en devenir les gardiens attentifs et le défendre contre les voleurs qui contrefont les honnêtes gens. Où qu'ils aillent, ils le chérissent et n'oublient pas de le rapporter. Monseigneur Yvain a tué ma dame en ne lui rapportant pas son cœur à temps. Yvain, tu t'es montré bien oublieux et bien négligent en ne revenant pas au bout d'un an! Ma dame n'a cessé de compter les jours et les a inscrits sur le mur de sa chambre. Quand on aime, on vit dans l'angoisse, on a du mal à trouver un sommeil paisible et l'on compte chaque jour qui passe car le temps semble long. Yvain, tu nous as trahies quand tu as épousé ma dame. Sache que tu n'es plus rien pour elle. Elle me charge de t'ordonner de ne jamais reparaître devant elle et te somme de lui restituer son anneau. Donne-le-moi. Il le faut.

Yvain est incapable de lui répondre. Les mots ne lui viennent pas car, d'un seul coup, le vide s'est fait dans sa tête. La demoiselle se précipite sur lui et lui retire elle-même l'anneau du doigt. Puis, avant de disparaître, elle recommande à Dieu le roi et tous les chevaliers à l'exception d'Yvain qu'elle laisse complètement désespéré.

Tout lui est devenu insupportable, ce qu'il voit comme ce qu'il entend. Il voudrait prendre la fuite et se retrouver seul en un lieu sauvage où personne ne pourrait le trouver ni ne saurait rien de lui, comme s'il était au fond de l'enfer. Il se déteste plus que tout et ne sait qui pourrait le consoler d'avoir lui-même causé sa propre mort. Sentant qu'il est sur le point de perdre la raison, il ne veut pas demeurer plus longtemps parmi les barons. Ceux-ci, comprenant bien que leurs propos et leur compagnie lui pèsent, mais ignorant l'extrême gravité de son état, laissent Yvain s'en aller seul.

Le voilà bientôt loin des tentes et des pavillons. Un tel vertige lui monte à la tête que sa raison défaille. Il déchire ses vêtements et les met en lambeaux. Il fuit par champs et par labours. Les gens attachés à son service se demandent où il est passé et, désemparés, le cherchent partout, dans le logis des chevaliers, derrière les haies et dans les vergers. Mais il n'y est pas.

C'est qu'Yvain est déjà loin. Près d'un enclos, il trouve un domestique tenant à la main un arc et cinq grosses flèches empennées, bien pointues. Il lui passe par la tête de s'en emparer et il reprend sa fuite, sans se souvenir de rien.

Il vit ainsi longtemps comme un sauvage, à l'affût des bêtes de la forêt qu'il tue et dévore sa venaison toute crue.

Un jour, il arriva à proximité du refuge d'un ermite, une maison basse et toute petite. L'ermite qui était occupé à défricher comprit tout de suite sans risque de se tromper que cet homme nu n'avait pas toute sa raison. Il eut grand peur et, abandonnant son travail, se réfugia dans la maisonnette. Sur le rebord de l'étroite fenêtre, le saint homme déposa un peu de son pain et de son eau. Yvain, qui en avait grande envie, s'approcha, prit le pain et y mordit. Je ne crois pas qu'il ait jamais goûté un pain aussi grossier et âpre: le setier de farine avec laquelle il avait été fait n'avait pas coûté vingt sous. C'était de l'orge pétri avec la paille dont la saveur était plus aigre que du levain. De plus, il était moisi et sec comme de l'écorce. Mais, la faim étant la meilleure des sauces, Yvain mangea tout le pain de l'ermite et le trouva bon puis il but de l'eau à même le pot. Quand il se fut ainsi restauré, il regagna le bois pour y traquer les cerfs et les biches

Le saint homme, qui recommanda à Dieu cet hôte étrange, demanda aussi qu'il ne revienne jamais. Mais quelle créature totalement dénuée de bon sens ne reviendrait volontiers là où on lui a fait du bien? C'est ainsi que tant qu'Yvain fut habité par cette folie, il ne laissa pas passer huit jours sans revenir déposer devant la porte quelque gibier que le saint homme dépouillait. Il vendait les peaux pour acheter du pain d'orge, d'avoine ou d'autre céréale et faisait cuire les bons morceaux qu'il déposait sur la fenêtre avec du pain et de l'eau. C'est ainsi qu'Yvain eut tout ce qu'il lui fallait pour manger et pour boire: du pain en abondance, de la viande sans sel ni poivre et de l'eau froide de la fontaine.

Un autre jour, une dame et deux demoiselles d'honneur de sa suite aperçurent un homme nu endormi dans la forêt. L'une des demoiselles descendit de cheval et s'approcha de lui. En d'autres circonstances, elle l'aurait facilement reconnu car elle le connaissait bien, mais, là, elle dut le regarder un bon moment avant de découvrir un signe permettant de l'identifier: une cicatrice qu'il avait au visage. Elle se souvint alors d'avoir vu la même, au même endroit, sur monseigneur Yvain. Certaine alors que c'était bien lui, elle se demanda ce qui avait bien pu lui arriver pour qu'il soit dans un tel dénuement. Elle se signa plusieurs fois, se gardant bien de l'éveiller, remonta sur son cheval et retourna, les larmes aux yeux, conter aux autres ce qu'elle venait de voir.

– Madame, je viens de découvrir Yvain, un chevalier d'une vaillance incomparable, mais je ne sais quel malheur s'est abattu sur lui ou quel chagrin l'a réduit en cet état pitoyable, car un grand chagrin peut faire perdre la raison. Ah, si seulement Dieu pouvait lui rendre tout son bon sens! Et s'il était possible qu'il accepte de vous venir en aide! C'en serait bientôt fini, et à votre avantage, de la guerre que vous livre le comte Alier.

– Ne vous inquiétez pas, répondit la dame, s'il ne s'enfuit pas, avec l'aide de Dieu, nous calmerons la tempête qui fait rage dans sa tête. Je me souviens que la fée Morgane, qui est très savante, m'a donné un onguent qui chasse de la tête les démences les plus tenaces.

Laissant Yvain seul et endormi, elles se dirigèrent alors en toute hâte vers le château tout proche qui n'était qu'à une demi-lieue et, dans ce pays-là, il faut deux de leurs lieues pour en faire une des nôtres. La dame sortit d'un de ses coffrets une boîte qu'elle remit à la demoiselle en lui recommandant de ne pas gaspiller l'onguent qu'elle contenait et de ne frictionner que les tempes et le front du chevalier puisqu'il n'était malade que du cerveau et de nulle part ailleurs. Elle chargea également la jeune fille de lui porter une robe fourrée, une cotte et un manteau de soie et de lui emmener un excellent palefroi. Celle-ci ajouta, en cadeau personnel, un peu de linge : une chemise et des braies de fine toile ainsi que des chausses neuves et de bonne coupe.

Ainsi chargée, elle revint sans perdre de temps auprès d'Yvain qui dormait encore là où elle l'avait laissé. Ayant soigneusement attaché les chevaux, elle s'approcha de lui avec les habits et l'onguent. Surmontant sa peur, elle le frictionna par tout le corps, sans ménager sa peine. Elle souhaitait tant la guérison d'Yvain que, oubliant les recommandations de sa maîtresse, elle utilisa beaucoup plus d'onguent qu'il était nécessaire et vida complètement la boîte. Yvain avait été si bien frictionné sur les tempes, sur le front mais aussi sur tout le corps, de la tête aux pieds et avec tant d'ardeur, que son cerveau fut bientôt débarrassé de sa tristesse et de sa folie.

Emportant la boîte vide, la demoiselle retourna auprès des chevaux, se cacha derrière un grand chêne et attendit. Yvain, qui avait retrouvé tous ses esprits et à qui la mémoire était revenue, ne tarda pas à se réveiller

Quand il se vit tout nu, il éprouva une grande honte – laquelle aurait été bien plus grande encore s'il avait su toute l'aventure – mais tout ce qu'il savait, c'est qu'il était nu. Il ne manqua pas de se demander par quel hasard des vêtements se trouvaient justement à côté de lui. Il se dit qu'il serait déshonoré si jamais quelqu'un le découvrait dans cet état et le reconnaissait. Il s'habilla donc tout en lançant des regards inquiets autour de lui pour s'assurer qu'il n'y avait personne. Il aurait voulu se lever pour s'en aller mais son mal l'avait tellement affaibli qu'il tenait à peine sur ses jambes. Il avait absolument besoin d'aide.

À ce moment précis, la demoiselle, faisant semblant de ne pas savoir qu'il se trouvait là, vint à passer sur son cheval. Yvain rassembla toutes ses forces pour l'appeler. Feignant l'étonnement, la demoiselle regarda autour d'elle puis fit mine de chercher à droite et à gauche pour ne pas aller directement à lui. Il dut renouveler ses appels.

– Mademoiselle, par ici! par ici!

Et la demoiselle, dirigeant enfin son palefroi dans la bonne direction, s'approcha à vive allure.

Agissant avec beaucoup de sagesse et de délicatesse, elle fit celle qui ignorait tout de lui et le voyait pour la première fois.

– Seigneur chevalier, lui demanda-t-elle quand elle fut près de lui, que voulez-vous? Pourquoi m'avez-vous appelée?

– Ha! sage demoiselle, je ne sais à la suite de quel malheur je me retrouve dans ce bois. Par Dieu, je vous prie de bien vouloir me prêter ou me donner ce palefroi que vous menez. Je vous le revaudrai.

– Bien volontiers, seigneur, mais vous m'accompagnerez là où je vais.

– Où cela? demanda-t-il.

– Hors de ce bois, jusqu'à un château tout proche.

– Aurez-vous besoin de mes services?

– Oui, mais je crois que vous êtes si mal en point qu'il vous faudra d'abord une quinzaine de jours de repos. Prenez donc ce cheval et je vous mènerai en un lieu où vous pourrez vous reposer.

Yvain, qui ne demandait rien d'autre, prit le cheval et monta en selle. Tous deux chevauchèrent jusqu'à ce qu'ils arrivent à un pont au-dessous duquel coulait une eau tumultueuse. La demoiselle jeta dans le courant la petite boîte vide. Elle dirait à sa dame qu'au passage du pont son palefroi avait fait un faux pas et que la boîte lui avait échappé des mains. Elle ajouterait que le malheur aurait pu être bien plus grand puisqu'elle avait failli tomber elle-même. Voilà les mensonges qu'elle ferait à sa dame.

Au château, la dame offrit de grand cœur l'hospitalité à monseigneur Yvain. Puis, lorsqu'elle fut seule avec la demoiselle, elle lui demanda de rendre la boîte d'onguent. La jeune fille, n'osant avouer la vérité, récita les mensonges qu'elle avait préparés.

– Quelle perte irréparable ! s'exclama la dame fort contrariée. Mais puisqu'il en est ainsi, il faudra bien s'en accommoder. Parfois, croyant agir dans son intérêt, on fait son malheur. Ainsi, alors que j'espérais tirer profit de ce chevalier, je viens de perdre ce que j'avais de plus précieux. Néanmoins, je vous recommande d'être aux petits soins pour lui.

– Ah, madame, comme vous avez raison de ne pas ajouter un second malheur au premier !

Là-dessus, la boîte fut oubliée et elles ne se soucièrent plus que d'être agréables à monseigneur Yvain : elles lui firent prendre un bain, lui lavèrent la tête, lui coupèrent les cheveux, rasèrent la barbe qui était si longue qu'on aurait pu l'empoigner à pleines mains. Plus tard, elles lui donnèrent comme il le voulait des armes et un cheval vif et robuste.

VI
LA DÉFAITE DU COMTE ALIER

Yvain séjournait encore au château lorsqu'un mardi survint le comte Alier à la tête de ses troupes et de ses chevaliers, incendiant et pillant tout sur leur passage.

Aussitôt, ceux du château prirent des armes, se mirent en selle et, avec ou sans armure, se lancèrent à la poursuite des pillards qui, au lieu de déguerpir, les attendaient dans un passage resserré.

Yvain, qui a recouvré toute sa force, frappe sans ménagement dans le tas. Il abat d'un même coup un chevalier avec sa monture sans lui laisser le moindre espoir de guérison : l'homme a le cœur éclaté dans la poitrine et l'échine brisée. Bien protégé derrière son écu, Yvain entreprend de dégager le passage. En moins de temps qu'il n'en faudrait pour les compter, il abat quatre chevaliers avec une étonnante facilité. À le voir déployer tant d'énergie et montrer tant de hardiesse, même les plus lâches sont subitement gagnés par son audace et tiennent fort bien leur place en plein cœur de la mêlée.

Du sommet de son donjon, la dame regarde les combats que se livrent les deux armées. Elle voit à terre bon nombre de morts et de blessés mais plus encore des ennemis que des siens. Monseigneur Yvain, en chevalier courtois, vaillant et hardi, tel un faucon qui pique sur les sarcelles, réduit ses adversaires à sa merci.

Tous ceux et celles qui, restés au château, observent la bataille du haut des créneaux, ne peuvent contenir leur enthousiasme:

– Quel vaillant guerrier! Comme il fait plier ses ennemis sous la rudesse de ses coups! Il s'élance au milieu d'eux comme un lion tenaillé par la faim sur un troupeau de daims. Son ardeur est contagieuse. Sans lui, tous nos chevaliers n'auraient pas eu le courage de briser les lances ou tirer les épées. Or, ils se battent avec une belle fureur. Quand on a la chance de rencontrer un chevalier tel que lui, on ne saurait trop l'aimer ni l'estimer. Voyez comme il tient bien sa place! Comme il n'hésite pas à teindre de sang sa lance et la lame de son épée! Voyez-le bousculer ses adversaires, fondre sur eux puis faire faire demi-tour à son cheval pour reprendre son élan et revenir à l'assaut! Regardez comme il fait peu de cas de son écu qui est éclaté de toutes parts! La seule chose qui lui importe, visiblement, c'est de bien venger les coups qu'il a reçus. Il a brisé bien des lances et ne cesse d'en demander d'autres. Roland, avec Durendal, n'a pas fait, en Espagne ou à Roncevaux, un pareil massacre de Turcs. S'il avait quelques compagnons à sa hauteur, la déroute de nos ennemis serait totale. Bienheureuse la dame qui aurait gagné l'amour d'un tel chevalier, reconnaissable entre tous comme un cierge parmi les chandelles, la lune au milieu des étoiles ou le soleil à côté de la lune! Dieu veuille que ce soit la nôtre et qu'il gouverne notre pays!

C'est en ces termes que tous font l'éloge d'Yvain – et à juste titre – car les ennemis prennent la fuite en débandade. Il leur donne la chasse, suivi de tous ses compagnons qui se sentent aussi en sécurité à ses côtés qu'à l'abri de hauts remparts de pierre. La poursuite dure longtemps et jusqu'à l'épuisement des fuyards. Les poursuivants alors les taillent en pièces et éventrent les chevaux. Les vivants roulent pêle-mêle par-dessus les morts, se blessent et s'entre-tuent dans leur chute.

Le comte Alier s'enfuit mais Yvain ne le lâche

pas. Il le talonne et finit par le rejoindre au pied d'une colline escarpée au sommet de laquelle s'élève un château. C'est là qu'Yvain capture le comte sans que personne n'ait pu lui venir en aide. Il le tient. L'autre n'a plus le moindre espoir de s'échapper ni la possibilité de se défendre. Alors, sans longs palabres, Yvain lui fait jurer d'aller se rendre à la dame de Noroison, de se constituer prisonnier et d'accepter les conditions de paix qu'elle lui imposera.

Quand le comte a donné sa parole, Yvain lui fait ôter son heaume, enlever l'écu de son cou et lui prend son épée. Il le ramène ainsi désarmé au milieu de ses ennemis qui ne peuvent contenir la grande joie qu'ils éprouvent. La nouvelle les ayant précédés au château, tout le monde sort à leur rencontre, la dame en premier. Yvain lui remet le prisonnier. Celui-ci promet solennellement, sous la foi du serment, de tenir ses engagements: il demeurera désormais en paix avec la dame de Noroison, réparera tous les dommages dont elle apportera les preuves, rebâtira les maisons détruites par sa faute.

Une fois ces dispositions clairement établies comme l'exigeait la dame, Yvain lui demande congé. Elle préférerait qu'il consente à la prendre pour femme ou pour amie mais toutes ses prières sont vaines. Il ne veut même pas qu'on l'accompagne ou qu'on lui fasse escorte et s'en va sans plus de cérémonie.

Le voilà qui reprend le chemin par lequel il était venu, laissant derrière lui la dame d'autant plus affligée qu'il venait de la rendre heureuse. Elle aurait tant voulu le combler d'honneurs ou de richesses en remerciement de son service, ou le faire seigneur de tous ses biens! Mais, insensible à toutes les supplications et à l'immense tristesse qu'il laisse derrière lui, le voilà reparti.

VII
LE LION RECONNAISSANT

Plongé dans ses pensées, monseigneur Yvain cheminait à travers une forêt profonde lorsqu'il entendit, dans les fourrés, un grand cri de douleur. Il se dirigea aussitôt vers l'endroit d'où provenait ce cri. Quand il y fut parvenu, il découvrit, dans un essart, un lion et un serpent qui le tenait par la queue et lui brûlait l'échine d'une flamme ardente. Monseigneur Yvain ne s'attarda pas longtemps à contempler cet étonnant spectacle. Il se demanda en lui-même auquel des deux il viendrait en aide et décida de prendre le parti du lion car on n'a pas le droit de faire du bien aux créatures venimeuses et félonnes. Or le serpent est venimeux : sa gueule vomit des flammes tant il est plein de malignité. C'est pour cela qu'Yvain décida de le tuer en premier.

Il tire son épée et s'avance, l'écu devant son visage pour le protéger des flammes que le monstre recrache par sa gueule plus large qu'une marmite. Si le lion l'attaque ensuite, Yvain ne manquera pas de se défendre. Mais qu'importe ce qu'il adviendra! Il a pitié de la noble bête et c'est elle qu'il va d'abord secourir.

Avec son épée bien tranchante, il attaque le serpent félon et le coupe en deux puis le frappe tant et si bien qu'il le taille en pièces et le hache menu. Le voilà obligé de couper un morceau de la queue du lion que tenaient toujours les mâchoires raidies du monstre. Il prend bien soin d'en couper le moins possible.

Yvain s'attendait à ce que le lion une fois délivré vienne l'attaquer. Cette idée n'effleura pas l'esprit de l'animal. Écoutez plutôt comment le lion se comporta en être noble et généreux. Il fit comme s'il se rendait au chevalier: dressé sur ses pattes de derrière, il lui tendait ses pattes avant jointes et baissait la tête vers le sol. Ensuite, il s'agenouillait et pleurait à chaudes larmes en signe de grande humilité. Monseigneur Yvain comprit, sans l'ombre d'un doute, que le lion le remerciait de cette façon d'avoir tué le serpent et de l'avoir sauvé de la mort. La tournure que prenait l'aventure lui parut fort plaisante.

Ayant essuyé son épée souillée par le venin du

monstre, Yvain la remet au fourreau puis reprend son chemin. Le lion marche à ses côtés. Il le suivra partout désormais et ne le quittera plus jamais car il veut le servir et veiller sur lui.

L'animal ouvre la voie et, sous le vent, sent des bêtes sauvages en pâture. La faim et l'instinct le poussent à aller chasser pour assurer sa subsistance. C'est la loi de la nature. Il suit un peu la piste pour bien montrer à son maître qu'il a flairé l'odeur d'une bête sauvage puis il s'arrête et le regarde car il ne voudrait rien faire contre sa volonté. Yvain comprend à son regard que l'animal veut lui montrer qu'il attend son ordre. Il sait que s'il reste, le lion restera aussi alors que, s'il le suit, il se saisira du gibier qu'il a senti. Alors, il l'excite de ses cris comme on fait à un brachet. Le lion, que son flair n'avait pas trompé, avance, le nez au vent. À moins d'une portée d'arc, ils découvrent dans un vallon un chevreuil solitaire en train de paître. D'un bond, le lion abat sa proie et boit le sang tout chaud. Puis, il charge l'animal sur son dos et le porte aux pieds de son maître qui, dès lors, trouve sa compagnie fort précieuse et lui témoignera pour toujours une grande affection.

Comme il faisait presque nuit, Yvain décida de s'arrêter là et de dépecer le chevreuil pour pouvoir en manger. Il lui fendit la peau au-dessus des côtes, découpa dans la longe un morceau entrelardé puis, tirant des étincelles d'un silex, il alluma un feu de bois sec et fit rôtir à la broche son morceau de viande jusqu'à ce qu'il soit bien cuit. Mais il n'éprouva aucun plaisir à le manger car il n'avait ni pain, ni vin, ni sel, ni nappe, ni couteau. Tant qu'il mangea, le lion resta couché devant lui, à le regarder sans bouger. Les restes du chevreuil, quand Yvain n'eut plus faim, revinrent au lion qui dévora tout jusqu'aux os.

Ensuite, Yvain se reposa comme il le put, la tête sur son écu. Le lion avait tant d'intelligence que, pendant le sommeil de son maître, il prit soin de garder le cheval qui, en guise de maigre pitance, broutait un peu d'herbe.

VIII
LUNETTE AU BÛCHER

Au matin, ils repartirent ensemble et vécurent ainsi une quinzaine presque complète jusqu'au jour où le hasard les conduisit jusqu'à la fontaine merveilleuse.

Reconnaissant le pin, la fontaine, le perron, la chapelle, monseigneur Yvain manque d'en perdre la raison. Mille fois, il crie son malheur. La peine qu'il éprouve est si grande qu'il défaille et tombe sans connaissance.

Dans sa chute, l'épée glisse du fourreau et la pointe vient se ficher dans le haubert au niveau du cou, tout près de la joue. Les mailles se rompent et l'épée entame assez la chair pour que le sang se mette à couler. Le lion, croyant que son maître est mort, se tord de désespoir, se griffe, pousse des hurlements. Il veut se tuer avec l'épée qui, croit-il, a tué son maître. Avec les crocs, il la retire et va la poser sur un tronc d'arbre abattu et cale le pommeau contre un arbre afin qu'elle ne puisse dévier quand il se précipitera contre la pointe, le poitrail en avant.

Heureusement, juste au moment où, tel un sanglier furieux qui fonce sans que rien ne puisse l'arrêter, le lion allait prendre son élan, il aperçoit Yvain qui sort de son évanouissement. Reprenant ses esprits, l'infortuné chevalier se reproche de n'avoir par respecté le délai d'un an et de s'être ainsi attiré la haine de sa dame.

– Ah, malheureux que je suis! Pourquoi attendre pour me donner la mort maintenant que toute joie m'est ravie? Comment puis-je rester ici à regarder ce qui appartient à ma dame? Pourquoi mon âme s'attarde-t-elle en ce corps si affligé? J'ai toutes les raisons de me haïr à mort car c'est par ma faute si j'ai perdu toute joie et tout espoir de bonheur. Quand on se hait à ce point, il ne reste plus qu'à se donner la mort. N'ai-je pas vu que le lion, plongé dans un profond désespoir à cause de moi, a voulu se tuer en se plantant l'épée au travers du corps? Vraiment ma joie fut de courte durée! Qui, par sa faute, perd un tel bonheur n'en était vraiment pas digne!

Une prisonnière, enfermée dans la chapelle, a tout vu et tout entendu par une fente du mur.

Lorsque Yvain eut retrouvé ses esprits, elle l'appela.

– Dieu, dit-elle, qui se lamente ainsi ?

– Et vous, qui êtes-vous ?

– Je suis la créature la plus malheureuse du monde.

– Tais-toi. Tu dis des sottises. Ton chagrin n'est qu'une joie et ton malheur est un bonheur à côté du mal qui me ronge et me détruit. Quand on est habitué à vivre dans le plaisir et la joie, un petit malheur semble plus insupportable qu'à quelqu'un d'un peu endurci par la vie.

– Je sais bien que vous dites vrai mais je ne suis pas convaincue pour autant que votre malheur soit plus grand que le mien. Vous pouvez encore aller où vous voulez alors que moi, je suis emprisonnée ici et que, demain, on viendra me chercher pour me livrer au supplice.

– Quel crime avez-vous donc commis ? demande Yvain.

– Seigneur chevalier, que Dieu n'ait pitié de mon âme si j'ai tant soit peu mérité ce châtiment ! On m'accuse de trahison. Je serai donc pendue ou brûlée demain car je ne trouve personne qui veuille prendre ma défense.

– Je peux vous assurer que votre malheur est moins grand que le mien puisque le premier chevalier qui viendrait à passer pourrait vous tirer de ce mauvais pas.

– C'est vrai, mais qui le fera? Je n'en connais que deux qui oseraient affronter pour moi trois adversaires.

– Pourquoi trois?

– Seigneur, parce qu'ils sont trois à m'accuser de trahison.

– Et quels sont ceux qui vous aiment assez pour oser affronter trois combattants d'un coup?

– Le premier est monseigneur Gauvain et l'autre monseigneur Yvain à cause de qui, demain, je vais être injustement livrée au supplice jusqu'à ce que mort s'ensuive.

– À cause de qui avez-vous dit?

– Yvain, le fils du roi Urien.

– Vous ne mourrez pas sans son aide car c'est moi, Yvain, le responsable de tous vos maux. Et vous, vous êtes la demoiselle qui m'a sauvé la vie lorsque j'étais en fâcheuse posture entre les deux portes coulissantes. Sans votre aide, j'aurais été fait prisonnier ou tué. Dites-moi donc, ma chère amie, qui sont ceux qui vous accusent de trahison et vous ont fait emprisonner dans cette chapelle?

– Seigneur, puisque vous me le demandez, je ne vous le cacherai pas. Je vous ai aidé de grand cœur et je me suis employée à convaincre ma dame de vous prendre pour époux. Par Dieu, je pensais agir alors plus encore pour son bien que pour le vôtre et je le pense encore. Mais, quand vous n'avez pas respecté le délai d'un an qu'elle vous avait fixé, elle se fâcha contre moi, persuadée que j'avais abusé sa confiance. Sachant cela, le sénéchal, perfide et déloyal, qui me jalousait parce que ma dame faisait souvent plus grand cas de mes conseils que des siens, comprit qu'il pouvait profiter de la situation pour semer la discorde entre elle et moi. Il m'accusa devant toute la cour d'avoir trahi ma dame dans votre intérêt. Personne ne pouvait alors me donner de conseil ni me venir en aide. J'étais seule à savoir que je n'avais commis, ni même imaginé, la moindre trahison envers ma maîtresse. Complètement désemparée, je répondis sans réfléchir que je rendrais raison de cette accusation par un chevalier contre trois. Le sénéchal me prit au mot. Il était trop tard pour me rétracter. Il m'a donc fallu prendre l'engagement de soutenir ainsi ma cause dans un délai de quarante jours. Je suis allée dans bien des cours, même à celle du roi Arthur, mais je n'ai trouvé personne pour m'aider ni pour me donner la moindre nouvelle de vous.

– Mais monseigneur Gauvain, le noble, le

généreux, où était-il donc ? On ne l'a jamais vu refuser son aide à une demoiselle en détresse.

– Si je l'avais trouvé, j'aurais été transportée de joie car il ne m'aurait rien refusé quoi que je lui aie demandé. Mais, à ce qu'on m'a dit, Gauvain est parti à la recherche de la reine qui a été enlevée par un chevalier et il ne prendra pas un instant de repos avant de l'avoir retrouvée. Voilà ma bien triste aventure. Demain, je serai brûlée à cause de la haine qu'on vous porte.

– Ne plaise à Dieu qu'on puisse vous faire souffrir à cause de moi ! Vous ne mourrez pas tant que je serai en vie. Vous pouvez compter sur moi pour vous défendre de toutes mes forces demain. Mais je vous demande, quelle que soit l'issue de la bataille, de ne pas révéler qui je suis.

– Seigneur, soyez certain que je tairai votre nom, quoi qu'il m'en coûte. Plutôt mourir ! Cependant, je vous demande de ne pas revenir demain. Je ne veux pas que vous entrepreniez à cause de moi un combat si déloyal. Votre promesse me suffit. Soyez-en quitte ! S'ils vous tuent, je n'en mourrai pas moins. Il vaut mieux que vous restiez en vie et que je meure seule plutôt que de leur offrir la double satisfaction de votre mort et de la mienne.

– Chère amie, réplique Yvain, vous me faites injure ! Voulez-vous mourir ou méprisez-vous à ce point l'aide que je vous propose ? Après ce que vous avez fait pour moi, mon devoir est de vous secourir quelles que soient les circonstances. Vous êtes très inquiète, mais, avec l'aide de Dieu, ils y perdront l'honneur tous les trois. Je m'en vais prendre un peu de repos n'importe où dans ce bois car il n'y a pas, que je sache, le moindre logis à proximité.

– Seigneur, dit-elle, que Dieu vous donne bon gîte et bonne nuit et qu'il vous garde de toute mésaventure.

IX
HARPIN DE LA MONTAGNE

Yvain s'éloigna, toujours suivi de son lion. Après avoir cheminé quelque temps, ils arrivèrent devant un château fort entouré de toutes parts de murs si solides, larges et élevés qu'il n'avait vraiment rien à redouter des mangonneaux ni des perrières. Mais, à l'extérieur des murs, tout avait été rasé : il ne restait debout ni bâtisse ni maison. Vous saurez bientôt pourquoi, je vous le dirai quand le moment sera venu.

Monseigneur Yvain se dirigea tout droit vers le château. Aussitôt, sept jeunes garçons, ayant fait abaisser le pont-levis, vinrent au-devant de lui. Mais, apercevant le lion, ils furent saisis de terreur et, craignant d'être blessés ou dévorés, ils prièrent Yvain de bien vouloir laisser l'animal à la porte.

– Il n'en est pas question ! répondit Yvain. Je n'entrerai certainement pas sans lui. Vous nous hébergerez tous les deux ou bien moi aussi je resterai dehors car je l'aime comme moi-même.

Cependant, soyez tout à fait sûrs que vous n'avez absolument rien à craindre car je le surveillerai attentivement.

— À la bonne heure !

Ils ont alors pu pénétrer dans le château. Des chevaliers, des dames, des serviteurs et d'accortes demoiselles viennent saluer le nouvel arrivant, l'aident à descendre de cheval et à retirer son armure.

— Soyez le bienvenu parmi nous, lui disent-ils. Que Dieu vous accorde un heureux séjour.

Du plus grand au plus humble, tout le monde semble l'accueillir de grand cœur et c'est un bien joyeux cortège qui l'accompagne jusqu'à son logis. Soudain, la tristesse s'empare d'eux et efface d'un seul coup toute leur joie. Ils se mettent à gémir, à pleurer, à se griffer le visage. Ils s'efforcent d'accueillir joyeusement leur hôte mais le cœur n'y est pas vraiment. Ils passent, malgré eux, de la joie aux pleurs car ce qu'ils attendent pour le lendemain les épouvante : une aventure qui se produira avant midi, ils en sont tous persuadés.

Monseigneur Yvain, étonné de les voir changer ainsi d'humeur et passer brusquement de la joie à la tristesse, en demande l'explication au seigneur du lieu.

– Par Dieu, cher seigneur, expliquez-moi, s'il vous plaît, pourquoi après m'avoir manifesté tant de joie vous vous mettez à pleurer.

– Vous devriez plutôt souhaiter que je vous en cache la raison et que je ne vous en dise rien. Je ne dirai pas de bon gré des choses qui vous attristent. Laissez-nous donc à notre douleur.

– J'ai grand désir de savoir et de partager votre affliction, quelque peine qu'il m'en coûte.

– Je vais donc tout vous expliquer. Un géant qui se nomme Harpin de la Montagne s'acharne à ma perte parce qu'il voulait que je lui donne ma fille qui surpasse en beauté toutes les jeunes filles du monde. Il ne se passe pas de jour qu'il ne vienne s'emparer de tout ce qu'il peut ravir de mes biens. J'avais six fils très beaux, eh bien le géant les a capturés tous les six : il en a tué deux sous mes yeux et, demain, il tuera les quatre autres si je ne trouve quelqu'un qui accepte de combattre contre lui pour les délivrer à moins que je ne consente à lui livrer ma fille. Mais il a dit que, quand il l'aurait, il l'abandonnerait aux plus répugnants et plus ignobles valets de sa maison pour leurs plaisirs car il n'en veut plus pour lui. Ce malheur est pour demain. Alors, ne vous étonnez pas, cher seigneur, si nous sommes tristes. Nous nous efforçons, cependant, de vous faire bon visage car bien sot serait celui qui ne réserverait pas un bon accueil à un noble visiteur comme vous l'êtes. Après avoir mis le bourg au pillage, le géant l'a fait raser avant d'incendier ce qui restait. Il n'a rien laissé d'autre que ce que vous pouvez voir ici.

Monseigneur Yvain qui a écouté attentivement le récit de son hôte lui donne son sentiment:

– Seigneur, votre malheur à la fois me touche et me révolte. Je m'étonne cependant que vous ne soyez pas allé demander assistance à la cour du roi Arthur.

– Monseigneur Gauvain ne m'aurait assurément pas refusé son aide d'autant plus que ma femme est sa propre sœur. Il serait accouru s'il avait eu connaissance de cette triste aventure. Mais un chevalier étranger ayant réussi à enlever la reine par la faute de Keu qui devait assurer sa protection, c'est lui qui s'est lancé à leur poursuite. Quelle sottise de la part du roi et quelle légèreté de la part de la reine de s'être fiés au sénéchal!

Tout au long de ce récit, monseigneur Yvain n'a pas cessé de pousser de grands soupirs de compassion.

– Je tenterais volontiers cette périlleuse aventure, dit-il à son hôte, à condition que demain le géant arrive suffisamment tôt pour que je puisse être ailleurs sur l'heure de midi car j'ai déjà pris un autre engagement.

– Cher seigneur, cent mille fois merci pour cette proposition, répond le noble seigneur

Et tous les gens du château se joignent à leur seigneur pour exprimer eux aussi leur reconnaissance.

Sortant d'une chambre, la jeune fille apparut. Elle avait le corps bien fait, un visage plein de charme. Elle s'avançait simplement, humble et silencieuse, la tête baissée, comme affligée d'une peine infinie. Sa mère marchait à ses côtés. Le seigneur les avait fait venir pour leur présenter son hôte. Il leur demanda d'ouvrir les manteaux dont elles s'étaient enveloppées pour mieux dissimuler leurs larmes et les invita à relever la tête.

– Ne soyez pas fâchées de ce que je vous demande, leur dit-il. Voici un chevalier de noble lignage que le ciel nous envoie pour affronter le géant. Sans plus attendre, allez donc vous jeter à ses pieds.

– Que Dieu m'épargne un tel spectacle! s'exclama Yvain. Il serait tout à fait inconvenant que je laisse la nièce et la sœur de monseigneur Gauvain se jeter à mes pieds. Je ne serais pas près d'oublier la honte que j'en éprouverais. Tout ce que je souhaite, c'est qu'elles reprennent courage jusqu'à demain où elles verront bien si Dieu consent à leur venir en aide. Pour ma part, il est inutile de me prier davantage. La seule condition que je pose est que le géant n'arrive pas trop tard car rien au monde ne pourra me faire manquer l'engagement que j'ai pris pour demain sur l'heure de midi. Il s'agit pour moi de l'affaire la plus importante que je puisse avoir.

Ainsi ne voulut-il pas les assurer sans réserve de son aide car il tenait absolument à arriver à temps pour secourir la demoiselle emprisonnée dans la chapelle. Cela suffit pourtant à les combler d'espoir car, rien qu'à voir le lion qui l'accompagne et se couche à ses pieds comme un agneau, ils sont certains d'avoir pour hôte un modèle de chevalerie.

Quand ce fut l'heure, on le conduisit dans une chambre bien éclairée. La demoiselle et sa mère assistèrent toutes les deux à son coucher car elles avaient déjà beaucoup d'affection pour lui et elles l'auraient aimé bien davantage encore si elles avaient pu soupçonner combien il était vaillant et courtois. Yvain et son lion dormirent tous les deux, seuls, car tout le monde avait bien trop peur de passer la nuit dans la même chambre qu'eux. Mieux encore: on verrouilla la porte de sorte qu'ils ne purent sortir avant le lever du jour.

Quand la chambre fut ouverte, Yvain se leva, alla écouter la messe et, respectant la promesse qu'il avait faite, il attendit jusqu'à l'heure de prime. Il appela alors le seigneur du château et lui dit:

– Seigneur, je ne peux m'attarder davantage. Soyez assuré que, si ce n'était l'affaire pressante qui m'appelle loin d'ici, je serais resté bien volontiers et de grand cœur pour défendre la nièce et la sœur de monseigneur Gauvain qui est mon ami.

Le seigneur, sa femme et sa fille sentirent le sang se glacer dans leurs veines tant était grand leur effroi de voir le chevalier s'en aller. Ils faillirent se jeter à ses pieds pour le supplier de rester mais ils se rappelèrent qu'un tel geste l'aurait irrité. Alors, le seigneur proposa de lui offrir des terres ou de l'argent s'il consentait à attendre encore un peu.

– Dieu me garde d'accepter quoi que ce soit! répondit Yvain.

Alors, la jeune fille, éperdue, éclatant en sanglots, l'adjura au nom de la reine du ciel et des anges, au nom de Dieu et aussi de son oncle Gauvain qu'il prétend connaître et aimer, d'attendre encore un peu avant de s'en aller.

Entendant ainsi invoquer le nom de son plus cher ami, Yvain est gagné par une immense pitié et ne peut retenir un soupir tant il est bouleversé. Pour rien au monde, il ne laissera livrer au feu la demoiselle à qui il a déjà promis son aide. S'il arrive trop tard, il se donnera la mort ou, pour le moins, en perdra la raison. D'autre part, penser à l'extraordinaire générosité de monseigneur Gauvain et ne pas pouvoir différer son départ lui est un supplice insupportable qui lui brise le cœur. Déchiré par ce cruel dilemme, il n'est pas encore parti. Il s'attarde.

C'est alors que le géant survient à vive allure. Il porte, pendu à son cou, un gros épieu effilé dont il se sert pour piquer sans répit les chevaliers captifs qu'il amène avec lui. Ceux-ci n'ont pour tout vêtement que des chemises d'une saleté repoussante. Les pieds et les mains liés, ils chevauchent quatre rosses boiteuses et efflanquées. Au moment où ils passent le long d'un bois, un nain, repoussant comme un crapaud bouffi, noue ensemble les queues des chevaux et, allant de l'un à l'autre, les frappe jusqu'au sang d'une lanière de cuir, croyant sans doute accomplir une grande prouesse. Tel est le traitement que le géant et le nain infligent publiquement à leurs victimes.

Devant la porte du château, le géant s'arrête pour lancer au noble père son défi: il mettra ses fils à mort si le seigneur ne lui donne pas sa fille; il la livrera aux ardeurs lubriques de sa valetaille car lui-même la méprise trop pour s'abaisser jusqu'à elle. Un millier de valets loqueteux, pouilleux comme des ribauds et des torchepots[1], sauront bien s'occuper d'elle et y trouver leur compte!

Quand il entend que le géant livrera sa fille à la prostitution ou qu'il tuera ses fils sous ses yeux, le pauvre père manque de devenir fou furieux. Il aimerait mieux mourir que d'endurer un tel supplice. Il se lamente sur son infortune et pleure abondamment en poussant de profonds soupirs mais Yvain, qui est noble et généreux, lui dit:

– Seigneur, ce géant vantard me semble bien cruel et bien téméraire! Que Dieu veuille que votre fille ne tombe jamais en son pouvoir! Quel malheur ce serait qu'une demoiselle aussi belle et d'aussi haute naissance soit livrée à des vauriens!

1. La noblesse a le plus profond mépris pour quelques catégories sociales: les portiers, les vilains, les cuisiniers. C'est une profonde insulte que de reléguer aux cuisines un prisonnier, fils de roi, même s'il s'agit d'un Sarrasin (voir le cas de Rainouart dans *Guillaume d'Orange,* «Médium poche», p. 104).

Qu'on m'apporte mes armes et mon cheval! Faites abaisser le pont-levis. L'un de nous deux ira à terre. Ce sera lui ou moi. Si je pouvais assez humilier ce monstre de cruauté pour qu'il libère vos fils et vienne vous faire réparation des injures qu'il vous a dites, je vous recommanderais à Dieu et j'irais tout de suite à mon autre affaire qui me tient à cœur.

On lui apporte aussitôt son cheval, ses armes et on l'aide à s'équiper. À peine est-il prêt qu'on abaisse le pont-levis et qu'il sort du château, suivi de son lion. Tous ceux qui sont restés à l'abri des murs ont grand peur qu'il subisse le même sort que tous les autres et soit mis à mort sous leurs yeux par ce démon. C'est pourquoi ils demandent à Dieu de leur rendre le chevalier sain et sauf et de lui permettre auparavant de tuer le géant.

Plein de morgue, Harpin de la Montagne s'avance en proférant des menaces:

– Celui qui t'a envoyé ici ne devait guère t'aimer. Il ne pouvait pas trouver meilleure vengeance de tout le mal que tu lui as fait.

– Trêve de bavardages, réplique Yvain, fort peu impressionné, tu me fatigues avec tes paroles oiseuses. Fais de ton mieux et moi de même.

Yvain, qui a hâte d'en avoir fini pour pouvoir

s'en aller, fond sur son ennemi et va le frapper en pleine poitrine, seulement protégée d'une peau d'ours. Le coup transperce la peau et, du corps, jaillit le sang en guise de sauce où tremper le fer de la lance. Le géant, lancé lui aussi à vive allure, brandissant son épieu, heurte violemment Yvain et le fait ployer sous le choc. Yvain tire l'épée dont il sait frapper de grands coups. Le géant, trop confiant dans sa force, ne daignait même pas porter d'armure. Alors, du tranchant de l'épée, Yvain lui ôte un morceau de joue assez grand pour faire une grillade. L'autre riposte si violemment qu'Yvain pique du nez sur l'encolure de son destrier.

À ce coup, le lion se hérisse et se prépare à venir en aide à son maître. Poussé par la fureur, il bondit de toutes ses forces. Ses griffes fendent comme une écorce la peau dont était revêtu le géant, arrachent un gigot jusqu'à la hanche avec les nerfs et les muscles. Le géant, grièvement blessé, beugle et mugit comme un taureau. Il brandit à deux mains son épieu pour frapper le lion mais, l'animal ayant fait un écart, le démon manque son coup et l'épieu s'abat sans blesser personne. Levant son épée, Yvain taille par deux fois dans le lard du monstre et, avant que l'autre ait eu le temps de se mettre en garde, du tranchant de l'épée, il lui a détaché l'épaule du buste. Un autre coup sous la poitrine et il la lui plonge jusqu'à la garde dans le foie. Blessé à mort, Harpin s'effondre avec fracas comme un chêne qu'on abat.

Puis ce fut la curée. On sut bien alors qui était le plus rapide à la course de tous ceux qui, du haut des créneaux, venaient d'assister à la scène, car, tels des chiens fondant sur la bête après une longue poursuite, ils se ruèrent vers le monstre qui gisait à terre, la gueule ouverte. Personne ne fut de reste, pas même le seigneur, sa femme ni sa fille. Quelle joie aussi pour les quatre frères après tous les maux qu'ils avaient endurés !

Tout le monde savait bien qu'il était impossible de retenir plus longtemps monseigneur Yvain mais on le pria de revenir séjourner plus longtemps pour son plaisir quand il en aurait terminé avec l'affaire qui le pressait tant. Yvain répondit qu'il ne pouvait rien promettre, ignorant si l'issue lui serait ou non favorable. Il demanda au seigneur d'envoyer sa fille et ses quatre fils auprès de monseigneur Gauvain pour lui raconter l'exploit qu'il venait d'accomplir car il est vain d'accomplir des prouesses si l'on ne fait pas en sorte qu'elles soient connues.

– Il serait trop injuste qu'un tel fait d'armes soit passé sous silence! Nous ferons ce que vous demandez mais dites-nous au moins comment appeler le chevalier dont nous ferons l'éloge devant monseigneur Gauvain. Nous ne savons même pas votre nom.

– La seule chose que vous pourrez lui dire, c'est que je m'appelle le Chevalier au Lion. Je vous demande d'ajouter de ma part que, même s'il ne sait pas qui je suis, il me connaît bien et que je le connais bien aussi. Je n'ai rien d'autre à vous demander. Il me faut maintenant partir car j'ai grand peur de m'être trop attardé. J'aurai fort à faire ailleurs si je peux encore arriver à temps.

X
SEUL CONTRE TROIS

Yvain s'en alla sans tarder davantage. Le seigneur eut beau le prier fort obligeamment d'emmener avec lui ses quatre fils qui étaient tout disposés, s'il l'avait voulu, à se mettre à son service, il refusa la moindre compagnie et voulut partir seul.

Aussi vite que son cheval pouvait le porter, il s'en retourna vers la chapelle. Le chemin étant direct et en bon état, Yvain n'avait pas à chercher sa route et ne courait pas le moindre risque de s'égarer.

Pendant ce temps, on avait déjà fait sortir la demoiselle de la chapelle et préparé le bûcher. Ceux qui, à tort, l'accusaient de fautes qu'elle n'avait même pas songé à commettre la tenaient attachée devant le feu, simplement vêtue de sa chemise.

Yvain arrive, la voit près du feu où l'on s'apprête à la précipiter ; vous pouvez facilement imaginer l'angoisse qu'il ressent mais, au fond de son cœur, il garde quand même espoir car il sait que Dieu et le droit sont de son côté, comme deux compagnons en qui il met toute sa confiance, mais il ne dédaigne pas son lion pour autant! Il se précipite vers la foule à bride abattue en criant:

— Arrêtez! Laissez cette demoiselle, bande de misérables! C'est injustement que vous voulez la brûler car elle n'a en rien mal agi.

Aussitôt, tout le monde s'écarte pour le laisser passer. Lui cherche partout du regard celle qu'il garde au cœur et qu'il lui tarde tant de voir. Il l'aperçoit enfin, ce qui met son pauvre cœur à si rude épreuve qu'il doit le modérer, lui mettre le frein comme lorsqu'on retient à grand-peine un cheval trop fougueux. Il ne peut cependant s'empêcher de la regarder, en poussant des soupirs qu'il retient à grand-peine pour que personne ne les remarque.

À voir et à entendre autour de lui les pauvres femmes se lamenter, une immense pitié l'envahit.

— Ah! Comme Dieu nous a oubliées! disent-elles. Comme nous voilà seules et abandonnées puisque nous perdons aujourd'hui une amie généreuse, de bon conseil et qui était notre soutien à la cour. Grâce à elle, notre maîtresse nous donnait ses robes. Les choses vont bien changer maintenant qu'il n'y aura plus personne pour parler en notre faveur. Plus personne ne pensera à dire : «Madame, ce manteau fourré, ce surcot ou cette cotte, envoyez-les donc à telle ou telle noble femme. Ils seront bien employés car elle en a grand besoin.» Désormais, chacun ne pensera plus qu'à soi sans se soucier des autres. Que Dieu maudisse ceux par la faute desquels nous perdons la bonne demoiselle !

Telles étaient les lamentations sincères que monseigneur Yvain pouvait entendre.

Il voit Lunette à genoux, n'ayant plus que sa chemise sur le dos. Elle s'était déjà confessée, avait demandé pardon à Dieu de ses péchés et battu sa coulpe. Yvain, qui lui gardait une grande affection, s'approche d'elle, la fait relever et lui dit :

– Demoiselle, où sont donc vos accusateurs ? À l'instant même, s'ils ne se dérobent pas, j'offre de leur livrer bataille.

Lunette, qui ne l'avait pas encore vu, le remercie d'être venu :

– Seigneur, c'est Dieu qui vous envoie m'apporter un secours dont j'ai bien besoin ! Ceux qui portent contre moi de faux témoignages sont ici, acharnés à ma perte. Si vous aviez tardé davantage, j'aurais été brûlée et réduite en cendres. Puisque vous êtes venu pour me défendre, que

Dieu vous en donne la force car je suis innocente de tout ce dont on m'accuse.

Le sénéchal et ses deux frères qui ont entendu ce qu'elle a dit s'exclament:

– Comme il est vrai que les femmes savent bien mentir! Il faudrait être bien fou pour accorder foi à de telles paroles! Il est bien insensé ce chevalier qui est venu mourir pour toi. Il est seul alors que nous sommes trois. Je lui conseille de déguerpir avant que la situation tourne mal pour lui.

– Que les lâches prennent la fuite! réplique Yvain agacé par ces propos. Vos trois écus ne me font pas assez peur pour que je m'en aille sans coup férir. Je serais un bien piètre chevalier de m'en aller sain et sauf en laissant le champ libre à vos malversations! Moi, je vous conseille de renoncer à toutes vos accusations contre la demoiselle car elle m'a dit sous la foi du serment, et je la crois, qu'elle n'a jamais commis la moindre trahison envers sa dame et ne lui a jamais nui ni en paroles ni en pensée. Je prendrai sa défense si je le peux. Le droit est de son côté et Dieu aussi qui est toujours du côté du droit. Dieu et le droit, voilà deux valeureux compagnons qui se rangent à mon côté, je ne pense pas qu'on puisse en avoir de meilleurs.

Et l'autre, bien présomptueusement, l'invite à

leur nuire autant qu'il lui plaira pourvu que le lion ne leur fasse aucun mal. Yvain répond qu'il n'a pas amené le lion pour défendre sa cause mais qu'il ne peut rien garantir à son sujet. Aussi recommande-t-il à ses adversaires de bien se défendre si le lion vient les attaquer.

– Tu n'as rien à faire ici si tu n'obliges pas ton lion à rester tranquille. Va-t'en. La jeune fille sera brûlée pour avoir trahi sa maîtresse.

Alors, Yvain qui ne tient pas à s'en aller ordonne à l'animal de se retirer et de se coucher, ce qu'il fait immédiatement.

Maintenant que le lion s'est un peu éloigné, les adversaires prennent du champ. Le sénéchal et ses frères s'élancent ensemble vers Yvain qui, ne voulant pas s'épuiser dès le premier échange, avance au pas. Il les laisse briser leurs lances sur son écu comme sur une quintaine et ménage la sienne pour la garder intacte. Il s'éloigne d'un arpent puis revient tout de suite à la charge car il ne veut pas perdre de temps. Il atteint le sénéchal qui précédait ses deux frères, lui brise sa lance sur le corps et le jette à terre, où il reste étendu, sans connaissance, hors d'état de lui nuire.

Les autres, brandissant leurs épées, viennent l'attaquer. Ils lui donnent de grands coups, mais il en rend de plus grands encore car chacun de ceux qu'il leur porte vaut bien deux des leurs. Il se défend si bien que tous deux se montrent incapables de prendre l'avantage jusqu'au moment où le sénéchal se relève. Tous trois ensemble s'acharnent contre Yvain, le malmènent rudement et finissent par le mettre en fâcheuse posture.

Toutes les dames assemblées qui ont beaucoup d'affection pour la demoiselle se mettent à prier toutes ensemble pour demander à Dieu, du fond du cœur, de ne pas permettre que soit tué ou vaincu le chevalier qui a accepté de combattre pour soutenir cette juste cause. N'ayant pas d'autres armes à leur disposition, elles aident Yvain par la prière.

Le lion aussi, qui regarde le combat, comprend que son maître a un urgent besoin de son aide. Il bondit sur le sénéchal qui était à pied et fait voler comme des fétus de paille les mailles de son haubert. Il lui tire si fort sur l'épaule qu'il l'arrache avec les muscles et lui déchire tout le côté si bien qu'on lui voit apparaître les entrailles. C'est un coup que les autres vont payer cher. Les voilà à égalité sur le terrain car le sénéchal, qui se tord de douleur dans le flot vermeil du sang chaud qui jaillit de son corps, ne peut échapper à la mort.

Le lion attaque maintenant les autres. Malgré ses efforts, Yvain ne peut rien pour le retenir. L'animal sait bien que, en cette circonstance, son maître, loin de lui en vouloir de ne pas obéir, l'en aime davantage. Il attaque les deux frères, les fait souffrir mais ceux-ci se défendent et réussissent à lui infliger de graves blessures. Voyant son lion blessé, Yvain, la rage au cœur, ne songe plus qu'à le venger. Il malmène si rudement ses adversaires qu'il les met bien vite hors d'état de se défendre et les réduit à sa merci.

Le lion gémit car il a le corps couvert de plaies. Yvain non plus n'est pas indemne mais il s'afflige plus pour son compagnon que pour lui-même.

Yvain a, comme il le voulait, libéré la demoiselle de toutes les accusations portées contre elle. Oubliant sa rancune, la dame accorde de grand cœur son pardon à sa suivante. Quant à ses accusateurs, ils furent brûlés sur le bûcher qui avait été dressé pour elle. Il est juste que celui qui a porté de fausses accusations contre quelqu'un périsse à sa place de la mort qu'il lui réservait.

Tous vinrent, comme il se doit, offrir leurs services au chevalier qui était leur seigneur mais nul, pas même la dame qui possédait son cœur et ne le savait pas, ne le reconnut. Elle lui proposa avec beaucoup d'insistance de rester, s'il le voulait, jusqu'à sa guérison et celle de son lion.

– Madame, pour que je puisse un jour me reposer en ce lieu, lui répondit Yvain, il faut auparavant que ma dame me pardonne et ne soit plus courroucée contre moi. Alors seulement cesseront mes épreuves.

– J'en suis fort peinée. Je trouve bien peu courtoise la dame qui vous garde ainsi rancune. Elle ne devrait pas interdire sa porte à un chevalier de votre valeur, à moins qu'il ne l'ait très gravement offensée.

– Madame, quelle que soit la souffrance que j'endure à cause d'elle, ce qui lui convient ne peut que m'être agréable. Ne m'en demandez pas davantage.

– Révélez-nous donc au moins votre nom, seigneur, et vous pourrez vous en aller tout à fait quitte envers moi.

– Tout à fait quitte, madame ? Certainement pas. Je vous dirai seulement que toutes les fois que vous entendrez parler du Chevalier au Lion, il s'agira de moi. C'est ainsi que je veux qu'on m'appelle.

– Comment se fait-il que nous ne vous ayons

jamais vu et que nous n'ayons jamais entendu votre nom auparavant?

– Madame, c'est la preuve que je ne suis encore guère renommé.

– Si je ne craignais de vous être importune, reprit Laudine, je vous prierais de demeurer quelque temps parmi nous.

– Je n'oserai jamais tant que je ne serai pas certain d'être rentré en grâce auprès de ma dame.

– Alors, seigneur chevalier, que Dieu vous garde et qu'il veuille bien changer en joie la grande peine qui vous tourmente.

– Qu'il vous entende, madame! répondit Yvain qui ajouta en murmurant entre ses dents: Dire que vous possédez à la fois la clef et l'écrin dans lequel est enclose ma joie! Et vous ne le savez pas

Sur ces mots, Yvain s'éloigna, le cœur serré. Personne ne l'avait reconnu à part Lunette qui, seule, lui fit escorte sur le chemin. Il lui interdit de révéler quelle était la véritable identité de son champion. Elle promit de n'en rien faire. Il lui demanda aussi d'intervenir en sa faveur auprès de sa dame si une occasion favorable se présentait. Une telle demande était superflue car la demoiselle ne se lasserait pas de le faire et n'oublierait jamais ce qu'Yvain venait d'accomplir pour elle

Yvain s'en alla donc plein d'inquiétude et d'angoisse à cause de son lion qu'il devait porter car il était incapable de le suivre. De son écu, il lui fit une litière qu'il garnit de mousse et de fougères. Avec d'infinies précautions, il coucha l'animal dessus et put ainsi le transporter allongé[1].

Après un long voyage, il arriva devant une imposante forteresse. Trouvant la porte fermée, il héla le portier qui lui ouvrit aussitôt et vint prendre son cheval par les rênes.

– Entrez donc, seigneur. Le logis de mon maître est à votre disposition s'il vous plaît d'y descendre.

– C'est une invitation que j'accepte bien volontiers car j'en ai grand besoin et il est temps de trouver un gîte pour la nuit.

Dès qu'il eut franchi la porte, tous les gens vinrent en foule à sa rencontre. Ils le saluèrent et l'aidèrent à mettre pied à terre. Certains prirent l'écu où était étendu le lion, d'autres menèrent le cheval à l'écurie, d'autres encore l'aidèrent à dévêtir son armure. La nouvelle de l'arrivée d'un chevalier étant parvenue au seigneur, celui-ci vint, accompagné de sa femme, de ses fils et de ses filles,

1. C'est une indication précieuse sur la taille du bouclier. Gerri le Roux tente de la même façon de transporter le corps de son fils dans *Raoul de Cambrai* («Médium poche», p. 99).

lui souhaiter la bienvenue. Tout le monde se faisait une joie de l'accueillir.

Voyant qu'il était en piteux état, ils l'installèrent dans une chambre, au calme, et poussèrent même la bienveillance jusqu'à laisser le lion avec lui. Deux des filles du seigneur, qui étaient expertes en médecine, s'affairèrent à le soigner. Yvain séjourna là je ne sais combien de temps jusqu'au moment où il fut complètement guéri pour reprendre sa route, et le lion avec lui.

XI
LES SŒURS ENNEMIES

Sur ces entrefaites, il arriva que le seigneur de la Noire Épine, ayant eu un différend avec la mort, fut contraint de succomber. L'aînée de ses deux filles décida qu'elle disposerait seule de toutes les terres et refusa tout partage avec sa sœur.

La cadette dit qu'elle irait à la cour du roi Arthur chercher de l'aide pour défendre la part qui lui revenait. Comprenant que sa jeune sœur ne lui abandonnerait pas la totalité de l'héritage sans contestation, l'aînée s'inquiéta et se dit qu'il fallait absolument la devancer. Elle s'apprêta sur-le-champ, se mit en route sans tarder et n'eut de cesse d'être à la cour. Quand la seconde arriva, c'était trop tard. La première avait déjà gagné à sa cause monseigneur Gauvain. Celui-ci avait cependant précisé qu'il ne prendrait pas les armes pour la défendre si elle révélait leur accord à qui que ce soit, condition qu'elle avait acceptée.

Lorsque la plus jeune vint à son tour, il y avait trois jours que la reine avait été libérée de la prison où la retenait Méléagant. Et Lancelot, victime d'une trahison, était encore emprisonné dans une tour.

Ce même jour, parvenait à la cour la nouvelle de la victoire du Chevalier au Lion sur le géant cruel et fourbe. Les neveux de monseigneur Gauvain étaient venus saluer leur oncle de la part du mystérieux chevalier et sa nièce lui avait tout raconté du service qu'il leur avait rendu par amitié pour lui. Elle avait ajouté, comme le lui avait dit le chevalier, que Gauvain le connaissait bien même s'il ne savait pas encore de qui il s'agissait.

Toutes ces nouvelles furent entendues par la jeune sœur qui était désespérée de ne pouvoir trouver à la cour l'assistance qu'elle était venue chercher car monseigneur Gauvain, qu'elle s'était efforcée de gagner à sa cause, lui avait répondu:

– Amie, c'est en vain que vous me priez. Je me suis engagé dans une autre affaire à laquelle il m'est désormais impossible de renoncer.

Alors, elle s'était rendue devant le roi pour lui dire:

– Il me faut prendre congé de vous sans avoir pu trouver en votre cour quelqu'un pour m'aider à soutenir mon droit, ce dont je m'étonne. Que ma sœur sache cependant que j'accepte de lui céder à l'amiable une partie de mon bien mais rien par la force. Pour peu que je trouve ailleurs un chevalier qui accepte de défendre ma cause, jamais elle n'aura la totalité de ma part d'héritage.

– Voilà des paroles sensées! dit le roi. Puisque votre sœur est ici, je lui demande de vous laisser la part qui vous revient de droit.

L'autre, qui était sûre d'avoir pour champion le meilleur chevalier du monde, répondit:

– Que Dieu me damne si je consens à partager avec elle terre, châteaux, villes, bois, champs ou quoi que ce soit! Mais, s'il est un chevalier qui daigne prendre les armes pour soutenir la cause de ma sœur, qu'il se présente immédiatement!

– Cette offre n'est pas recevable, répondit le roi. Votre sœur a droit. si elle le souhaite, de disposer d'un délai de quarante jours, conformément à la coutume en vigueur dans toutes les cours[1], pour chercher un champion.

– C'est vous qui faites les lois comme bon vous semble, seigneur, répliqua l'aînée. Je n'ai pas le

1. Le délai de quarante jours appartient au droit médiéval. Comme Lunette, la sœur cadette dispose d'un tel délai pour trouver un défenseur.

choix. Il me faudra donc accepter ce délai si ma sœur en exprime le désir.

Et celle-ci répondit qu'elle y tenait absolument. Puis, après avoir recommandé le roi à Dieu, la jeune sœur quitta aussitôt la cour avec la ferme intention d'employer le délai dont elle pouvait disposer, sans en perdre un instant, à rechercher en tous lieux le Chevalier au Lion qui ne ménage pas sa peine pour venir en aide à celles qui en ont grand besoin.

Ainsi donc, elle se mit en route, traversa bien des contrées sans apprendre la moindre nouvelle du chevalier qu'elle cherchait. Elle en fut si affectée qu'elle tomba malade. Fort heureusement, elle se trouvait alors chez de bons amis qui virent tout de suite, rien qu'à son visage, qu'elle n'allait pas bien. Ils insistèrent tant pour la retenir qu'elle leur conta son affaire. On envoya une autre jeune fille poursuivre la quête qu'elle avait entreprise, ce qui lui permit de prendre un peu de repos.

Quand l'autre eut voyagé toute la journée, seule, à grande allure, jusqu'au soir, elle fut surprise par la soudaineté de la nuit et effrayée par l'obscurité. La pluie se mit à tomber à verse, ce qui redoubla sa frayeur. Le chemin fut bientôt si mauvais que le cheval s'enfonçait dans la boue presque jusqu'aux sangles de la selle. On comprend bien l'angoisse de la jeune fille, seule, sans escorte, perdue dans la forêt par mauvais temps, une nuit sinistre dont la noirceur extrême l'empêche de distinguer le cheval sur lequel elle est assise. Aussi invoquait-elle sans cesse Dieu et Marie, sa mère, puis tous les saints et toutes les saintes du paradis. Elle récita, cette nuit-là, quantité de prières pour demander à Dieu de la faire sortir du bois et de la guider jusqu'en un lieu où elle pourrait être hébergée. Elle pria tant qu'elle finit par entendre le son d'un cor. Quelle joie elle ressentit à l'idée de trouver enfin un abri pour peu qu'elle parvienne à chevaucher jusque là-bas !

Se dirigeant du côté d'où venait le bruit, elle se retrouva bientôt sur un chemin bien empierré. Par trois fois, longuement, le cor retentit à nou-veau. Avançant toujours dans la même direction, la jeune fille parvint à la hauteur d'une croix dressée sur le côté droit du chemin. Elle pensa que celui qui avait sonné du cor ne devait pas se trouver bien loin. Éperonnant son cheval, elle arriva tout de suite devant un pont et put distin-guer les murs blancs et la barbacane d'un petit château circulaire.

C'est ainsi que, grâce au cor que sonnait un

guetteur, le hasard guida la jeune fille jusqu'au château. Du haut des murs, le guetteur, l'ayant aperçue, lui adressa un salut puis descendit. Il lui ouvrit la porte en disant:

– Soyez la bienvenue, demoiselle, qui que vous soyez. Vous serez confortablement hébergée cette nuit.

– C'est tout ce que je demande, répondit la jeune fille tandis que le guetteur la faisait entrer.

Après tous les maux et toutes les peines qu'elle avait endurés ce jour-là, ce logis où elle était bien accueillie fut pour elle une chance extraordinaire. Son hôte lui offrit à manger et, conversant avec elle, lui demanda où elle allait et ce qu'elle cherchait.

– Celui que je cherche, je ne l'ai jamais vu et je ne le connais pas. Tout ce que je sais, c'est qu'un lion l'accompagne et l'on m'a dit que, si je le trouvais, je pouvais avoir en lui une confiance totale.

– Cela est vrai. Je peux en témoigner, fit son hôte. Alors que j'avais grand besoin d'aide, Dieu me l'envoya avant-hier pour me libérer d'un ennemi mortel. Demain, quand le jour sera levé, vous pourrez voir devant cette porte le corps d'un géant qu'il tua sous mes yeux avec une étonnante facilité.

– Par Dieu, seigneur, dit la demoiselle, parlez-moi davantage de lui. Où s'en est-il allé ? Où s'est-il hébergé ?

– Je n'en sais rien. Tout ce que je peux faire, c'est vous indiquer, demain, le chemin par lequel il est parti.

– Que Dieu veuille me guider là où je pourrai avoir des nouvelles de ce chevalier ! Si ensuite je peux le trouver, ma joie sera complète !

Ils parlèrent longtemps avant d'aller se coucher

Le lendemain, la demoiselle se leva dès l'aube tant elle avait hâte de partir à la recherche du chevalier. Le seigneur du château, sa famille et ses gens la conduisirent jusqu'au chemin menant tout droit à la fontaine et au grand pin.

La demoiselle suivit le chemin qu'on lui avait indiqué et arriva directement au château de Laudine. Aux premières personnes qu'elle rencontra là-bas, elle demanda des nouvelles du chevalier qui se déplaçait accompagné d'un lion. On lui répondit que précisément en ce lieu on l'avait vu venir à bout de trois chevaliers.

– Ne me cachez rien, dit la demoiselle, si vous pouvez m'en apprendre davantage à son sujet.

– Hélas, nous vous avons dit tout ce que nous savons. Ce qu'ensuite il est devenu, nous l'ignorons. Il n'y a que celle dont il est venu défendre la cause qui pourrait peut-être vous en apprendre davantage. Vous n'aurez pas loin à aller si vous désirez lui parler car voilà déjà un moment qu'elle est entrée dans cette église pour écouter la messe. Elle ne devrait plus tarder.

Justement, Lunette sortit alors qu'ils étaient en train de parler. La demoiselle alla vers elle et, après l'avoir saluée, la pressa de questions. Lunette lui dit qu'elle allait faire seller un palefroi pour l'accompagner jusqu'à l'endroit où elle avait quitté le chevalier. La demoiselle la remercia du fond du cœur.

On ne tarda pas à amener le palefroi demandé. Tout en chevauchant à côté de la voyageuse, Lunette lui conta comment, alors qu'elle avait été accusée de trahison, le Chevalier au Lion était intervenu au moment où elle allait être précipitée dans le bûcher. Elle prit congé de la jeune fille à l'endroit où elle avait quitté monseigneur Yvain.

– C'est ici que je l'ai laissé, dit-elle, et depuis je ne l'ai pas revu. Si vous suivez ce chemin, vous finirez bien par arriver quelque part où l'on pourra vous donner de lui des nouvelles plus récentes que les miennes. Que Dieu vous accorde de le retrouver bientôt complètement rétabli car, quand je l'ai quitté, il avait grand besoin de soins! Je ne peux pas vous accompagner plus loin de peur que ma maîtresse ne se fâche contre moi.

Tandis que Lunette s'en retournait, l'autre, poursuivant sa route, finit par arriver précisément au château où monseigneur Yvain avait séjourné jusqu'à sa guérison complète. Elle aperçut des gens rassemblés devant la porte : des chevaliers, des dames, des valets, ainsi que le seigneur du lieu. Elle les salua et leur demanda de bien vouloir lui donner des renseignements sur le chevalier dont elle était en quête.

– On m'a dit, leur précisa-t-elle, qu'il ne se déplaçait jamais sans un lion.

– Par ma foi, demoiselle, fit le seigneur, il vient juste de nous quitter. Vous le rattraperez aujourd'hui même si vous suivez ses traces. Mais hâtez-vous.

Alors, la jeune fille lança son cheval au grand galop dans la direction qu'on lui avait indiquée, franchissant à vive allure terrain plat et bourbiers. Elle aperçoit enfin le chevalier qui voyage en compagnie d'un lion. Alors, elle s'écrie au comble de la joie :

– Seigneur, j'aperçois enfin celui que j'ai si longtemps traqué. À quoi bon la chasse qui ne se terminerait pas par la capture du gibier! Il faut absolument que je le rattrape et que je le ramène avec moi, sinon tous mes efforts auront été vains.

Pressant encore plus son palefroi, qui en est couvert de sueur, elle rejoint enfin le chevalier et le salue. C'est en ces termes qu'il lui répond:

– Dieu vous garde, belle demoiselle, de soucis et de tourments!

– Vous aussi, seigneur sur qui je compte pour me délivrer de tous ceux qui m'accablent.

À ces mots, elle vient se placer à côté de lui et lui explique:

– Seigneur, je vous ai beaucoup cherché. J'ai supporté de grandes fatigues et traversé maintes contrées à cause de votre grand renom. Dieu merci, me voici enfin près de vous, ce qui suffit à effacer d'un seul coup tous mes tourments et toutes mes fatigues! Ce n'est pas de moi qu'il s'agit. C'est une demoiselle de beaucoup plus haut rang que moi qui m'a envoyée vers vous. Elle serait venue elle-même si la maladie ne la forçait à garder le lit. Cette demoiselle pense que vous seul pouvez l'aider à soutenir son droit contre sa sœur aînée qui veut la déshériter. Elle n'espère et n'attend d'aide de personne d'autre que vous et, si vous lui faisiez défaut, votre renommée l'aurait abusée. Si vous soutenez sa cause, vous regagnerez le fief d'une femme injustement privée de son héritage et accroîtrez votre renom. Répondez-moi, s'il vous plaît. Aurez-vous la hardiesse de défendre sa cause ou préférez-vous vous reposer?

– Ce n'est pas en restant en repos qu'on accroît sa gloire. Aussi, je vous suivrai bien volontiers, ma douce amie, là où il vous plaira. Si la demoiselle pour laquelle vous m'avez requis a grand besoin de moi, ne désespérez pas de me voir faire tout ce que je peux pour lui venir en aide. Il suffit que Dieu m'accorde la grâce de réussir à prouver son bon droit.

XII
L'ÉTRANGE CHÂTEAU
DE PIRE AVENTURE

Yvain et la demoiselle chevauchèrent ensemble tout en parlant et passèrent à proximité du château de Pire Aventure. Comme le jour déclinait, ils n'envisageaient pas d'aller plus loin et s'approchèrent donc de la forteresse.

Les gens qui les voyaient venir disaient tous à l'adresse du chevalier:

– Malvenue à vous, seigneur! Vous êtes le malvenu! Sans mentir, cet endroit vous a été indiqué pour votre malheur et votre honte. Même un abbé pourrait vous le jurer.

– Ha, répondit Yvain, pauvres gens stupides et pleins de méchanceté, pourquoi m'agressez-vous ainsi?

– Pourquoi? Vous ne manquerez pas de le savoir si vous poursuivez plus avant! Mais vous n'en saurez rien tant que vous ne serez pas allé tout là-haut.

Comme aussitôt monseigneur Yvain se dirigeait vers le donjon, les gens s'écrièrent:

– Malheureux que tu es! Où vas-tu? Si jamais dans ta vie il t'est arrivé de rencontrer quelqu'un qui te couvre de honte ou t'humilie, là où tu vas, ton accablement sera tel que tu n'oseras jamais raconter ton aventure.

– Gens sans honneur et sans courage, répliqua monseigneur Yvain, agacé par leurs propos, pauvres imbéciles, pourquoi vous en prendre ainsi à moi? Que me voulez-vous donc pour brailler ainsi?

– Ami, vous avez tort de vous mettre en colère, dit une dame d'âge avancé qui était courtoise et sage. Tout ce qu'ils vous disent n'est pas pour vous nuire. Vous n'avez pas compris qu'ils vous mettent en garde de ne pas aller vous héberger là-haut. Ils n'osent pas vous en donner la raison, ils veulent seulement vous faire peur. C'est l'usage d'accueillir ainsi les survenants afin qu'ils évitent d'aller à l'intérieur de la forteresse. La coutume nous interdit aussi formellement de recevoir en nos demeures tout chevalier étranger. Le reste ne dépend que de vous. Personne ne vous barre la route. Si vous y tenez, vous êtes libre de monter tout là-haut ; mais si vous écoutez mon conseil, vous rebrousserez chemin.

– Madame, répondit-il, j'aurais peut-être intérêt à suivre votre conseil mais, si je le faisais, je ne saurais pas où passer la nuit.

– Ma foi, je ne dis plus mot. Cela ne me regarde pas. Allez donc où bon vous semble. Cependant, je serais très heureuse si je pouvais vous voir revenir de là-bas sans avoir été trop humilié, mais c'est impossible.

– Madame, que Dieu vous le rende ! mais mon cœur intrépide m'incite à aller là-haut et je ferai ce qu'il me pousse à faire.

Alors que tous les trois, le chevalier, la demoiselle et le lion, arrivaient devant la porte, le portier les invita à entrer en ces termes :

– Pressons. Pressons. Vous serez bien gardés en ce lieu où vous êtes malvenus.

Monseigneur Yvain passa sans répondre à cette invitation bien insultante. Il arriva dans une salle immense, haute et de construction récente qui donnait accès à un préau enclos de gros pieux ronds et pointus. Entre les pieux, il crut distinguer environ trois cents jeunes filles occupées à divers travaux : elles tissaient avec beaucoup d'application des fils d'or et de soie. Mais quelle misère! Nombre d'entre elles n'avaient à leurs vêtements ni lacets ni ceintures. Elles portaient des cottes déchirées à la poitrine et des chemises dont l'encolure était sale. À cause de la faim et de la misère, elles avaient le cou maigre et le visage blême. Il les regarde. Elles l'aperçoivent et toutes baissent la tête et se mettent à pleurer. Elles restent ainsi un moment, n'ayant plus le cœur à rien faire, incapables de lever les yeux tant elles sont abattues.

Après les avoir observées un moment, monseigneur Yvain fait demi-tour et se dirige droit vers la porte mais le portier vient s'interposer.

– Vous ne vous en irez pas maintenant, beau maître, dit-il. C'est en vain que vous souhaiteriez être dehors à présent! Auparavant, vous devrez subir plus d'outrages que vous n'en avez jamais subis. C'est une bien mauvaise idée que vous avez eue d'entrer ici car il n'est pas question d'en ressortir.

– Je n'ai pas l'intention de m'en aller. Dis-moi, mon ami, la vérité sur les demoiselles que j'ai vues, dans ce préau, tisser des étoffes de soie brodées d'or. D'où viennent-elles? Je m'émerveille devant leurs travaux. Mais quelle pitié de les voir si maigres, blêmes, souffreteuses de corps et de visage, alors qu'elles seraient fort belles et tout à fait gracieuses si elles ne manquaient pas de tout.

– Ce n'est pas moi qui pourrai vous le dire. Interrogez quelqu'un d'autre, répondit le portier.

– Je n'y manquerai pas puisque je ne puis faire autrement.

Yvain finit par trouver l'entrée du préau où travaillaient les demoiselles. Il entre, les salue toutes ensemble et voit des larmes couler de leurs yeux.

– Que Dieu, leur dit-il, daigne changer en joie cette peine que vous avez au cœur.

– Qu'il vous entende! répond l'une d'elles. Vous voulez sans doute savoir qui nous sommes et de quel pays nous venons?

– C'est pour cela que je suis venu jusqu'à vous.

– Seigneur chevalier, il y a bien longtemps de cela, le seigneur de l'île aux Pucelles voulut aller de cour en cour et de pays en pays pour apprendre des choses nouvelles. Or, il arriva qu'un jour il tomba naïvement dans ce piège. C'est pour cela que nous sommes retenues prisonnières ici et que, sans l'avoir mérité, nous vivons dans le malheur et l'humiliation. Vous-même, sachez-le, vous pouvez vous attendre aux pires avanies. Quoi qu'il en soit, notre seigneur vint donc en ce château où résident deux fils de démon. Ne croyez pas à des balivernes. Ils sont réellement issus d'une femme et d'un Nétun. Se trouvant contraint d'affronter les deux monstres, le roi, qui n'avait pas encore dix-huit ans, évita comme il le put de se faire massacrer comme un tendre agnelet. Il jura d'envoyer ici chaque année trente jeunes filles de son royaume. Il ne fut quitte qu'au prix de ce tribut. Il fut convenu que cette coutume durerait aussi longtemps que les deux diables seraient en vie, à moins qu'un jour ils ne soient vaincus en combat singulier, alors, le roi serait définitivement quitte de sa dette et nous-mêmes serions libérées de l'esclavage dans lequel on nous tient. Mais c'est pur enfantillage de parler de délivrance comme je viens de le faire, car nous ne sortirons jamais d'ici Toujours nous tisserons des draps de soie sans jamais en être mieux vêtues. Nous vivrons toujours dans la pauvreté et le dénuement et tous les jours nous aurons faim et soif, car nous ne gagnerons jamais assez pour être mieux nourries. Du pain, nous en avons chichement : un peu au matin et le soir encore moins. De l'ouvrage de nos mains, chacune de nous ne tirera jamais plus de quatre deniers de la livre pour sa subsistance. Avec ce

piètre salaire, nous ne pouvons pas acheter beaucoup de nourriture ni de vêtements. Avec un
revenu de vingt sous par semaine, on n'est pas tiré
d'affaire. Eh bien sachez que parmi nous, il n'en
est pas une qui ne rapporte vingt sous ou plus! De
quoi rendre riche un duc! Nous vivons ici dans une
misère noire alors que s'enrichit celui qui nous fait
travailler jusqu'à l'épuisement. En plus du jour,
nous devons aussi veiller une grande partie de la
nuit et, comme notre maître nous menace de
sévices quand nous prenons un peu de repos, nous
n'osons pas le faire. Mais à quoi bon poursuivre?
Nous souffrons tant de maux et d'humiliations que
je ne saurais vous en conter le quart. Mais ce qui
par-dessus tout nous rend folles de désespoir, c'est
que plusieurs fois nous avons vu mourir de jeunes
et vaillants chevaliers venus se mesurer aux deux
démons. Ils paient très cher leur hébergement
comme vous devrez vous en rendre compte vous
aussi demain. Que vous le vouliez ou non, il vous
faudra employer toutes vos forces à combattre les
deux diables incarnés et y perdre votre renom.

– Que Dieu daigne m'accorder sa protection et
qu'il vous rende honneur et joie! répond Yvain. Il
me faut à présent aller voir quel accueil vont me
réserver les seigneurs de ce château.

Il se rend jusque dans la grande salle où il ne rencontre personne qui daigne lui adresser la parole. Il traverse donc toute la demeure et arrive dans un verger.

Les valets qui, pendant ce temps-là, s'occupaient des chevaux, comptaient bien en hériter. Pourtant les propriétaires sont encore bien vivants. Les chevaux ont du foin et de l'avoine, de la litière jusqu'au ventre. Cela seul importe.

Monseigneur Yvain pénètre dans le verger, toujours suivi de son lion et de la demoiselle. Il découvre, appuyé sur le coude, le seigneur allongé sur un drap de soie. Devant lui, une jeune fille lui lisait un roman, je ne sais de qui. Une dame était venue s'accouder près d'eux pour écouter la lecture. Le seigneur et la dame étaient les parents de la jeune fille et, n'ayant pas d'autre enfant, ils prenaient un immense plaisir à la regarder et à l'écouter. La jeune fille, qui ne devait pas avoir dix-sept ans, était si belle et si gracieuse que, si le dieu d'Amour l'avait vue, il n'aurait pas permis qu'elle en aime un autre que lui. Il aurait volontiers abandonné sa divinité et pris forme humaine afin de se mettre à son service. De sa propre main, il se serait lui-même planté dans le cœur la flèche dont la blessure ne guérit pas, à moins de ne pas aimer d'un amour véritable. J'aurais pu vous parler de cette blessure pendant des heures si je ne craignais de lasser votre patience. Mais les gens d'aujourd'hui ne savent plus aimer comme autrefois. Ils ne veulent même plus entendre parler d'amour. Écoutez plutôt quel chaleureux accueil on réserve à monseigneur Yvain.

Dès qu'ils l'aperçoivent, tous ceux qui étaient au verger se lèvent et lui disent :

– Cher seigneur, que Dieu vous bénisse, vous et tous ceux qui vous sont chers.

Je ne sais s'ils cherchent à l'abuser mais ils ont l'air heureux de le recevoir et donnent l'impression de tenir à ce qu'il soit confortablement installé pour la nuit. Même la fille du seigneur s'empresse de le servir avec tous les égards que l'on doit à un hôte de marque. Elle lui retire son armure et c'est elle-même qui, de ses mains, lui lave le cou et le visage. Le seigneur veut que l'on prodigue à cet invité toutes les marques d'honneur ; c'est ce que fait sa fille. Elle tire de son coffre des braies blanches et une chemise plissée. Elle lui passe aussi les manches et les coud avec du fil et une aiguille
Que Dieu ne lui fasse pas payer trop cher toutes

1. La manche est une partie séparée du vêtement auquel elle s'attache par une couture temporaire.

ces attentions flatteuses ! Elle lui donne aussi un surcot neuf à passer par-dessus la chemise et lui met sur les épaules un manteau d'écarlate tout garni de fourrure de petit-gris. Elle manifeste à son égard tant d'empressement qu'Yvain en éprouve quelque gêne.

Au souper, on lui servit des mets en très grand nombre. Les serviteurs avaient bien de quoi être las de transporter tout cela. Quand il fut confortablement couché, on le laissa enfin en paix après lui avoir prodigué toutes les marques possibles d'honneur. Le lion s'étendit à ses pieds comme il en avait l'habitude.

Yvain et la demoiselle qui l'accompagnait se levèrent de très bonne heure le lendemain matin et se rendirent à la chapelle pour écouter la messe du Saint-Esprit qui fut dite très tôt pour eux.

Après la messe, alors qu'il pensait que rien n'allait s'opposer à son départ, Yvain apprit une terrible nouvelle. Lorsqu'il vint dire au châtelain :

– Seigneur, avec votre permission, je vais reprendre ma route.

Celui-ci répondit :

– Le moment n'est pas encore venu car, en ce château, est établie une coutume tout à fait diabolique qu'il me faut maintenir. Je vais faire venir deux de mes serviteurs, très grands et très forts. Que cela vous semble juste ou non, vous devrez les affronter tous les deux, les armes à la main. Si vous parvenez à en venir à bout et à les vaincre tous les deux, vous épouserez ma fille qui le désire ardemment et vous deviendrez seigneur de ce château avec toutes ses dépendances.

– Seigneur, répliqua Yvain, je ne veux pas de votre terre. Quant à votre fille, si belle, si instruite, gardez-la pour l'empereur d'Allemagne dont elle est tout à fait digne.

– Taisez-vous donc, mon hôte, c'est bien en vain que vous cherchez une échappatoire. Ma terre et ma fille doivent revenir de droit au chevalier qui sera capable de vaincre les deux démons venus l'attaquer. C'est la peur qui vous pousse à refuser. Inutile de chercher un prétexte. Vous ne pouvez pas vous dérober. Rien n'empêchera que le combat ait lieu. Aucun chevalier qui a couché ici ne peut s'esquiver. C'est une coutume bien établie qui durera jusqu'à ce que les deux démons soient vaincus et ma fille enfin mariée.

– Je livrerai donc bataille bien malgré moi. Je ne vous cache pas que je m'en serais bien passé si j'avais pu l'éviter. Mais, puisque je n'ai pas le choix, je me battrai.

XIII
LES FILS DU NÉTUN

Voici venir les deux fils du Nétun. Tous deux, hideux et noirs, brandissent dans leurs mains un bâton cornu de cornouiller renforcé de métal et hérissé de pointes. Une armure les recouvre des épaules aux genoux mais ils ont les jambes nues. Elles sont énormes! Ils protègent leurs têtes et leurs visages dépourvus de casques derrière des boucliers d'escrime, ronds, solides et légers.

Dès qu'il les aperçoit, le lion commence à frémir car il a tout de suite compris, rien qu'à voir les armes qu'ils brandissent, qu'ils viennent combattre son maître. Tout son corps se hérisse jusqu'à la crinière. Il a tant de mal à contenir sa fureur et à maîtriser son désir de se battre qu'il en tremble. Il veut venir au secours de son maître avant que ces deux-là ne le tuent.

Voyant l'animal, les deux monstres disent au chevalier:

– Vassal, ôtez d'ici votre lion qui nous menace

ou avouez-vous tout de suite vaincu. Enfermez-le quelque part où il ne pourra pas intervenir pour vous aider ou pour nous faire du mal. Il est évident qu'il ne se priverait pas de le faire si on le laissait libre. C'est vous seul qui devez vous distraire avec nous !

– Otez-le vous-mêmes puisque vous en avez peur ! répond Yvain. Il ne me déplaît pas à moi qu'il puisse vous mettre à mal et je serais bien content qu'il vienne m'aider.

– Vous n'en avez pas le droit. Vous devez vous battre tout seul contre nous deux, sans aucune aide, du mieux que vous pourrez. Si le lion était à vos côtés, vous ne seriez plus seul, mais deux, à nous affronter. Il faut absolument que vous ôtiez votre lion d'ici, que cela vous plaise ou non.

– Où voulez-vous que je le mette ? demande Yvain.

– Enfermez-le là-dedans, disent-ils en lui montrant une petite chambre.

– Puisque vous le voulez.

Alors, tandis qu'Yvain emmène son lion pour l'enfermer dans la petite pièce, on va lui chercher son armure pour l'équiper et on lui amène son destrier.

À peine est-il en selle que les deux champions,

qui n'ont plus rien à redouter du lion, impatients de le malmener et de l'humilier, se précipitent sur Yvain. De leurs masses, ils lui assènent de grands coups contre lesquels le heaume et l'écu sont une bien piètre protection. Toutes les fois qu'ils l'atteignent sur le heaume, ils le cabossent et le fendent. L'écu semble fondre comme neige au soleil : on pourrait déjà aisément passer le poing au travers des trous qu'ils y ont faits. Vraiment, les deux fils du Nétun sont redoutables !

Mais que fait donc Yvain ? Il se défend de toutes ses forces, poussé par la peur et la crainte du déshonneur. Il ne ménage pas ses coups et rend au double les cadeaux qu'on lui fait.

Cependant, le lion, qui est enfermé dans la petite chambre, est rongé d'angoisse et de colère car il voit bien que ce maître, qui s'est montré si généreux envers lui, a aujourd'hui besoin de son aide. Si seulement il pouvait sortir de là, il lui rendrait sans compter sa générosité d'autrefois ! De tous les côtés, il cherche vainement une issue. Il entend bien le fracas des coups que l'on se porte dans ce combat périlleux et inégal. La colère et la rage l'envahissent. À force de chercher, il découvre qu'au ras du sol le seuil est pourri. De ses griffes, il gratte tant et si bien qu'il parvient à se glisser sous la porte et à y passer le corps jusqu'aux reins.

Monseigneur Yvain, couvert de sueur, est au bord de l'épuisement car ses adversaires sont forts, hargneux et résistants. Il a reçu de nombreux coups et en a rendu tant et plus sans parvenir à blesser les deux démons tant ils sont experts en escrime. Leurs écus sont si solides qu'aucune épée, si acérée et si tranchante soit-elle, ne pourrait les entamer. Aussi monseigneur Yvain a-t-il de bonnes raisons de redouter la mort. Mais il résiste encore jusqu'au moment où le lion a tellement gratté qu'il parvient enfin à se faufiler sous la porte.

Si les deux scélérats ne sont pas matés maintenant, ils ne le seront jamais car le lion ne leur accordera ni trêve ni paix tant qu'il les saura vivants. Il bondit sur le premier et le jette à terre comme il aurait fait à un mouton. Alors, tandis que la terreur s'empare des deux félons, la joie gagne toute l'assistance. Celui que le lion a terrassé ne se relèvera pas si l'autre ne vient immédiatement lui porter secours. Il se précipite en effet pour l'aider mais aussi pour se défendre lui-même car c'est à lui que le lion va s'en prendre dès qu'il aura tué son compagnon et il redoute plus encore l'animal que son maître.

Maintenant que son ennemi lui tourne le dos et lui présente son cou nu, à découvert, monseigneur Yvain aurait bien tort de le laisser vivre plus longtemps. L'occasion est trop belle. D'un coup, il lui tranche la tête au ras des épaules avant que l'autre ait eu le temps de s'en apercevoir. Il descend de cheval pour tenter d'arracher aux griffes du lion son deuxième adversaire. Mais c'est peine perdue. Le misérable est en si piteux état qu'il n'aura plus jamais besoin du secours d'un médecin. Le lion, en bondissant, lui a complètement arraché l'épaule. Le bâton est tombé à terre et le démon gît à côté, comme mort. Yvain n'a plus rien à craindre. L'autre a juste la force d'articuler :

– Éloignez votre lion, seigneur, par pitié, qu'il cesse de s'acharner ainsi. Désormais, vous pouvez faire de moi tout ce que vous voulez. Qui demande grâce doit l'obtenir à moins qu'il n'ait affaire à un homme sans pitié. Je suis hors d'état de me défendre et je n'ai pas la force de me relever. Je suis entièrement à votre merci.

– Alors, avoue-toi vaincu, lui ordonne Yvain.

– Seigneur, bien malgré moi, je reconnais ma défaite et je renonce à poursuivre le combat.

– À présent, tu n'as plus rien à craindre de moi ni de mon lion.

Sur ce, tout le monde accourt et se presse autour d'Yvain.

Le seigneur et sa femme lui font fête, l'embrassent et lui disent :

– Vous voilà devenu notre seigneur et notre maître et nous vous donnons notre fille en mariage.

– Et moi, je vous la rends. Offrez-la à qui la voudra. N'en soyez pas offensés. Je ne dis pas cela par dédain mais je ne peux ni ne dois l'accepter. Ce que je vous demande, c'est de libérer les ouvrières que vous retenez captives. Le moment est venu, vous le savez bien.

– Cela est vrai. Grâce à vous, plus rien ne s'oppose à leur libération. Mais acceptez donc d'hériter de tous mes biens et d'épouser ma fille qui est belle et instruite. Montrez-vous raisonnable ! Jamais vous ne ferez un mariage aussi avantageux.

– Seigneur, répond Yvain, vous ignorez tout de mes soucis et de l'affaire qui m'appelle. Sachez seulement que j'ai parfaitement conscience de refuser ce qu'à ma place personne d'autre ne refuserait. J'aurais volontiers épousé votre fille qui est belle et gracieuse mais, tenez-vous-le pour dit, je n'en ai pas le droit. Ni elle ni une autre. N'en parlons plus. La demoiselle qui m'a accompagné jusqu'ici m'attend et je ne veux pas lui faire défaut quoi qu'il arrive.

– Que d'arrogance et de mépris quand je vous offre ma fille ! N'oubliez pas, seigneur, que pour peu que j'en donne l'ordre, jamais vous ne sortirez d'ici et vous resterez mon prisonnier.

– Qui parle de mépris ? Je vous ai dit que je ne peux à aucun prix ni prendre femme ni demeurer ici plus longtemps. Je suivrai la demoiselle qui m'accompagne. Il ne peut en être autrement. Si vous y tenez absolument, je jurerai en tendant la main droite qu'aussi vrai que vous me voyez devant vous je reviendrai un jour, si je le peux, et qu'alors j'épouserai votre fille.

– Inutile de prêter serment. Si ma fille vous plaît, cela vous fera revenir plus rapidement que n'importe quelle contrainte ou n'importe quel engagement. Allez-vous-en ! Je vous dispense de toute promesse. Ma fille n'est pas si détestable que je vous la donne par force. Faites ce que vous avez à faire et revenez ou restez où vous voudrez, je m'en moque.

Aussitôt, monseigneur Yvain quitte ce château dans lequel il ne tient pas à s'attarder davantage. Devant lui, s'en vont deux par deux les prisonnières qu'il a libérées. Bien que pauvres et mal habillées, elles se sentent riches de leur liberté retrouvée. Elles ne feraient pas plus fête à celui qui créa le monde s'il revenait sur terre qu'elles ne font à Yvain, leur sauveur.

Sur son passage, tous les gens qui, à son arrivée, lui avaient tenu des propos insultants, viennent lui demander pardon et lui font escorte. Yvain leur répond qu'il a tout oublié et qu'il les tient quittes de tout. Ces propos les comblent de joie et ils ne tarissent pas d'éloges sur la courtoisie du chevalier. Après l'avoir longtemps escorté, ils le recommandent à Dieu. Les demoiselles aussi lui demandent congé, s'inclinent devant lui en formant le souhait que Dieu lui accorde, en quelque lieu qu'il aille, joie, santé et la réalisation de tous ses vœux.

– Que Dieu vous accorde de retourner dans votre pays heureuses et sans encombre, leur répond Yvain.

Le Chevalier au Lion regarde les demoiselles qui s'éloignent du château de Pire Aventure en menant grande joie puis il reprend sa route.

XIV
YVAIN ET GAUVAIN

Monseigneur Yvain chevaucha sans trêve, à grande allure, tous les jours de la semaine. La demoiselle le guidait, elle qui connaissait bien le chemin menant à la maison où elle avait laissé, malade et désespérée, la fille cadette du seigneur de Noire Épine.

La jeune fille déshéritée était à peine rétablie d'une longue maladie qui l'avait tenue longtemps alitée et l'avait beaucoup affaiblie comme on pouvait le voir à ses traits tirés. Quand elle eut vent du retour de sa messagère accompagnée du Chevalier au Lion, son cœur déborda d'une joie sans pareille car elle avait bon espoir qu'à présent sa sœur lui laisserait une partie de l'héritage comme elle le demandait. Elle se précipita tout de suite au-devant du chevalier, le salua et lui témoigna infiniment d'égards.

Ne parlons pas de la joie qui régna dans la

maison ce soir-là, il y aurait trop à dire. Je vous en fais grâce.

Le lendemain, Yvain et la cadette se remirent en route et chevauchèrent tant qu'ils arrivèrent en vue du château où le roi Arthur séjournait depuis une quinzaine de jours ou plus.

La sœur aînée s'y trouvait, ayant suivi la cour dans ses déplacements. Convaincue de l'impossibilité de trouver un chevalier capable de résister à monseigneur Gauvain en combat singulier, elle y attendait d'un cœur léger le retour de sa sœur. Le délai de quarante jours arrivait à son terme. Il ne restait plus qu'une journée pour qu'elle puisse posséder seule, sans réserve et conformément à la justice du roi, la totalité de l'héritage. Mais la situation était loin d'être aussi simple qu'elle ne l'imaginait alors!

Ce soir-là, nos voyageurs, qui ne voulaient pas être reconnus, ne se rendirent pas jusqu'au château mais dormirent dans une petite maison basse, à l'extérieur de la ville. Le lendemain, ils partirent dès les premières lueurs de l'aube puis se cachèrent à proximité du château jusqu'à ce qu'il fasse grand jour.

Monseigneur Gauvain s'était absenté de la cour depuis plusieurs jours et personne n'avait de nouvelles de lui, à part la jeune fille pour laquelle il devait combattre. Il n'était pas bien loin, ne s'étant retiré qu'à trois ou quatre lieues de là. Le moment venu, il se présenta à la cour, équipé d'armes qui n'étaient pas les siennes, de sorte que personne, même parmi ses proches, ne put le reconnaître.

La demoiselle – celle qui avait tort – le présenta publiquement à la cour et annonça qu'elle était prête à faire soutenir sa cause – qui était injuste – par ce champion. Elle dit au roi:

– Seigneur, comme le temps passe! C'est aujourd'hui le dernier jour du délai et il sera bientôt none. Vous voyez bien que je suis prête à défendre mon droit. Si ma sœur devait revenir, il ne lui resterait plus guère de temps. Mais il se trouve qu'elle n'est pas revenue et j'en rends grâce à Dieu. Il est clair qu'elle s'est démenée vainement alors que moi, chaque jour jusqu'au dernier, j'étais prête à revendiquer ce qui me revient. J'ai gagné ma cause sans combat. Le droit et la justice permettent que je m'en aille profiter en paix de mon héritage sans avoir, de mon vivant, à partager quoi que ce soit avec ma sœur. Qu'elle vive donc dans la peine et dans la misère!

Le roi, bien conscient que la jeune fille se montrait déloyale envers sa sœur, lui dit·

– Mon amie, en cour royale, on doit patienter aussi longtemps que le tribunal du roi n'a pas délibéré et rendu son jugement. Il est trop tôt pour plier bagage. Je pense que votre sœur peut encore arriver à temps.

À peine avait-il dit cela qu'entrent dans la salle le Chevalier au Lion et avec lui sa protégée. Ils ne sont qu'eux deux car ils ont réussi à sortir à l'insu du lion qu'ils ont laissé dans la maison où ils avaient passé la nuit.

Le roi a tout de suite reconnu la jeune fille et il est tout heureux de la revoir car, soucieux d'équité, c'est pour elle qu'il prend parti. Il lui souhaite la bienvenue en ces termes:

– Approchez-vous, ma belle, et que Dieu vous garde!

À ces mots, l'autre sursaute et, apercevant le chevalier que sa sœur avait amené pour faire valoir son droit, elle devient plus noire que terre, d'autant plus que tout le monde réserve à la cadette un accueil chaleureux. La plus jeune des deux sœurs s'avance vers le souverain et, quand elle est en face de lui, elle déclare.

– Que Dieu protège le roi et toute sa suite! Monseigneur, s'il faut vraiment que ma cause et mon droit soient défendus par un chevalier, ils le seront par celui qui m'a accompagnée jusqu'ici. Ce généreux chevalier, issu d'un noble lignage, a tellement eu pitié de moi qu'il a laissé tomber tout ce qu'il avait à faire pour soutenir ma cause. Ma très chère sœur, vous agiriez de façon tout à fait courtoise si vous m'accordiez ce qui me revient de droit et permettiez ainsi de rétablir la paix entre nous. Je n'exige rien de ce qui vous revient.

– Moi non plus, répond l'aînée, je ne demande rien de ce qui est à toi car tu n'as rien et tous tes beaux sermons ne te rapporteront rien. Tu n'auras que tes yeux pour pleurer.

Aussitôt, la cadette, qui sait se montrer à la fois polie, accommodante et pleine de sagesse, réplique :

– Il m'est pénible de penser que deux chevaliers, aussi vaillants que ceux-là, vont devoir s'affronter pour résoudre un désaccord aussi mesquin que le nôtre. Je ne peux pourtant pas renoncer car mon préjudice serait immense. Je vous saurais gré de m'accorder seulement la part qui me revient de droit

– Vraiment, je serais bien sotte si je répondais a ta demande, fait l'aînée. Que le feu de l'enfer me brûle si tu obtiens quoi que ce soit sans combat !

– Que Dieu et le droit, en qui je me suis toujours fiée et en qui je me fie encore, viennent en aide au chevalier qui a eu la bonté et la générosité d'accepter de soutenir ma cause alors qu'il ignore qui je suis et que je ne le connais pas.

Leur entretien s'achève sur cet échange. On fait venir les chevaliers devant la cour et tout le peuple accourt, comme à chaque fois, pour le plaisir de voir la bataille et admirer les passes d'armes.

Ceux qui s'apprêtent à se battre, malgré la profonde amitié qui les unit, ne se reconnaissent pas. Alors, ne s'aiment-ils plus ? Je vous répondrai oui et non et je justifierai mes deux réponses. Il est vrai que Gauvain aime Yvain et l'appelle son compagnon. Yvain fait de même en toutes circonstances. S'ils se reconnaissaient, ils manifesteraient une grande joie et l'un comme l'autre serait prêt à exposer sa vie pour son compagnon. Mais la haine n'est-elle pas aussi évidente que leur amitié ? Chacun, cela ne fait aucun doute, voudrait avoir brisé la tête de l'autre ou du moins l'avoir si malmené qu'il soit couvert de honte. Comment est-il possible que deux sentiments aussi opposés puissent ainsi cohabiter ? Dans un bâtiment, il y a plusieurs pièces. Il faut croire que l'amitié s'était enfermée dans une chambre secrète et que la haine s'était installée bien en vue, aux premières loges.

La haine s'élance à la charge et l'amitié ne bouge pas, aveuglée, trompée et vaincue. Sans raison, simplement parce qu'ils ne se sont pas reconnus, les deux amis se vouent une haine mortelle. Comment donc? Yvain veut tuer Gauvain, son ami? Et Gauvain voudrait aussi tuer de ses mains son ami Yvain? Non. Je vous jure qu'aucun des deux ne voudrait, quels qu'en soient l'enjeu et le prix, avoir causé le moindre tort à l'autre Ai-je donc vilainement menti puisqu'il est évident qu'ils vont se précipiter l'un contre l'autre, brandissant leurs lances avec la ferme intention de se heurter sans aucun ménagement? Dites-moi lequel sera le plus à plaindre quand l'un des deux aura vaincu l'autre? Yvain pourra-t-il dire, s'il a le dessous, que celui qui l'a déconfit et humilié, il le compte parmi ses proches et ne l'appelle jamais autrement que son «ami» ou «compagnon»? Et si c'est Gauvain qui subit l'outrage, va-t-il se lamenter sur l'amitié trahie? Pas plus l'un que l'autre puisque aucun ne saura qui était son adversaire.

Puisqu'ils ne se sont pas reconnus, ils s'éloignent l'un de l'autre pour prendre leur élan. Au premier heurt, ils brisent leurs grosses lances de frêne. Ils ne s'invectivent pas car, s'ils avaient échangé même un seul mot, c'est un tout autre accueil qu'ils se seraient réservé. Au lieu d'échanger des coups de lance et d'épée, de chercher à se mutiler ou à se massacrer, ils se seraient jetés dans les bras l'un de l'autre.

Le tranchant des épées est bien vite émoussé car ce n'est pas du plat de la lame qu'ils frappent. Les heaumes et les écus ne sont bientôt plus que bosses et fentes. Les deux champions frappent sans ménagement et s'acharnent au niveau du cou, du nasal, du front et des joues qui sont bientôt bleuies ou violacées là où le sang se coagule sous les heaumes dont les ornements de pierres précieuses ont volé en éclats. Les hauberts sont à ce point démaillés, les écus en pièces, qu'aucun des deux n'est indemne. Ils déploient tant d'efforts, font preuve d'un tel acharnement qu'ils sont hors d'haleine. Ils sont au bord de l'évanouissement tant redoublent les coups qu'ils se portent sur le heaume avec le pommeau de l'épée. Il s'en faut de bien peu qu'ils ne se fassent jaillir la cervelle du crâne! Leurs yeux étincellent, ils ont des poings énormes, des muscles impressionnants, des os solides et, serrant leurs épées d'une main ferme, ils emploient toutes leurs forces à se porter des coups très rudes.

Après s'être longtemps évertués jusqu'à la limite de l'épuisement, maintenant que les heaumes sont cassés, les hauberts démaillés, les écus en miettes, ils s'éloignent un peu l'un de l'autre, le temps de reprendre haleine et de laisser s'apaiser les battements de leur cœur. Mais la pause est brève. Ils se lancent à nouveau l'un contre l'autre avec une fureur encore plus grande qu'auparavant. Tous ceux qui regardent le combat disent qu'ils n'ont encore jamais vu deux chevaliers faire preuve d'un tel courage.

– Ce combat n'a rien d'un jeu. Ces deux-là y mettent toutes leurs forces et jamais ils ne pourront avoir la récompense qu'ils méritent.

Ces paroles sont parvenues aux oreilles des deux amis qui cherchent à s'étriper. Ils entendent aussi que dans l'assistance on essaie de réconcilier les deux sœurs. Mais, si la cadette est prête à s'en remettre au jugement du roi, tout accord est impossible à cause de l'aînée qui se montre si obstinée que la reine Guenièvre, les légistes, les chevaliers, les dames et même les bourgeois prennent fait et cause pour la cadette. Tout le monde supplie le roi d'accorder à la cadette, malgré l'obstination de sa sœur aînée, le tiers ou le quart de l'héritage[1] et de séparer les deux chevaliers qui sont d'une

1. C'est la part généralement attribuée au fils cadet.

vaillance sans pareille. Quel malheur ce serait si l'un des deux atteignait mortellement l'autre ou causait le moindre tort à son honneur! Le roi refuse d'intervenir pour imposer la paix puisque l'aînée, d'une méchanceté diabolique, s'y oppose.

Alors les deux chevaliers se malmènent à nouveau âprement, suscitant l'admiration de tous. Ils sont de force égale et personne ne peut dire lequel a pris l'avantage ni lequel a le dessous. Les chevaliers qui s'affrontent et qui, pour l'honneur, souffrent le martyre, ne peuvent, eux non plus, s'empêcher de s'étonner et de s'émerveiller. Qui donc peut résister avec tant de hardiesse?

Le combat se prolonge jusqu'à la tombée de la nuit. L'un et l'autre ont le bras fatigué et le corps douloureux. Le sang chaud jaillit des multiples blessures qu'ils ont sur tout le corps et coule par-dessous les hauberts. Ils souffrent atrocement. Comment s'étonner qu'ils aient besoin de prendre un peu de repos?

Ils ne reviennent pas tout de suite à la charge. Chacun pense en lui-même qu'après une longue attente, il a fini par trouver son pair. Ils restent ainsi un long moment à faire souffler leurs chevaux et à reprendre quelques forces. Ils n'ont guère envie, semble-t-il, de recommencer à se battre, tant à cause de l'obscurité de la nuit que de la crainte qu'ils s'inspirent mutuellement. Pour le moment, ces deux raisons les incitent à demeurer en paix. Mais avant qu'ils ne quittent le champ de bataille, ils vont se reconnaître, ce qui ne manquera ni de les réjouir ni de les désoler.

Monseigneur Yvain, qui était un chevalier vaillant et courtois, prit la parole le premier. À cause des efforts qu'il avait fournis et des coups reçus, il parlait bas, d'une voix rauque, faible et cassée, aussi son grand ami ne put-il pas reconnaître le timbre qui lui était familier

— Seigneur, dit-il, la nuit approche. Je ne crois pas qu'on nous adressera le moindre reproche si nous nous séparons à cause de l'obscurité. Sachez que, pour ma part, j'éprouve à votre égard autant de crainte que d'admiration. Jamais de ma vie, je n'ai eu à livrer bataille aussi douloureuse et je ne croyais pas rencontrer un jour un chevalier que j'aurais un tel désir de connaître. Personne, à ma connaissance, ne sait placer ses coups et les assener mieux que vous. Je me serais bien dispensé de recevoir tous ceux dont vous m'avez si généreusement fait cadeau aujourd'hui! J'en suis encore tout étourdi.

— Ma foi, répondit monseigneur Gauvain, je

doute que vous soyez aussi mal en point et épuisé que moi. Tout ce que j'ai pu vous donner, vous m'en avez rendu le compte exact sans oublier les intérêts. Vous avez vraiment fait preuve d'une générosité qui dépassait toutes mes espérances. Peut-être ne vous opposeriez-vous pas à m'apprendre qui vous êtes ? Mais, puisque vous avez souhaité connaître mon nom, je ne vous le cacherai pas : je suis Gauvain, fils du roi Lot.

Yvain est abasourdi et bouleversé sous le choc de cette révélation. D'un mouvement de rage, il jette à terre son épée couverte de sang et ce qui lui reste de son bouclier. Il descend de cheval, met pied à terre et s'écrie :

– Par quelle funeste méprise avons-nous pu livrer bataille sans nous être reconnus ! Si j'avais su qui vous étiez, je vous jure que, plutôt que de me battre contre vous, j'aurais préféré m'avouer vaincu d'avance[1].

– Comment, fait Gauvain, qui êtes-vous donc ?

– Je suis Yvain, votre ami le plus cher au

---

1. Ce que font Yvain et Gauvain est très grave. Il n'y a pas de pire honte pour un chevalier que de s'avouer vaincu et « recréant » (c'est-à-dire renoncer au combat). Chacun donne, par cette humiliation librement consentie, une preuve de l'extraordinaire amitié qui le lie à l'autre.

monde, à qui vous avez donné tant de preuves d'amitié et témoigné tant de marques d'honneur dans toutes les cours. Je tiens à vous offrir réparation dans cette affaire et je me déclare publiquement vaincu.

– Vous feriez vraiment cela pour moi? s'étonne le doux Gauvain. Je serais bien outrecuidant si j'acceptais. Ce n'est pas à moi que reviendra l'honneur de la victoire, mais à vous. Je vous l'abandonne.

– Ha, seigneur, ne discutez pas! Je suis incapable de tenir sur mes jambes tant je suis blessé et à bout de forces.

– Vous vous donnez du mal bien inutilement répond son ami et compagnon. C'est moi qui suis battu et bien mal en point. Je ne le dis pas par flatterie mais je le dirais devant n'importe quel adversaire plutôt que d'essuyer d'autres coups comme les vôtres.

Tout en parlant, Gauvain aussi descend de cheval. Les deux amis se jettent dans les bras l'un de l'autre, s'embrassent et s'étreignent sans cesser de se proclamer vaincus. Comme la discussion s'éternise, le roi et ses barons accourent et s'assemblent autour d'eux. Voyant leurs démonstrations d'amitié, ils ont hâte d'en connaître la raison et d'apprendre l'identité de ces chevaliers qui se font à présent une telle fête.

– Seigneurs, demande le roi, d'où viennent cette soudaine amitié et ces élans de tendresse alors que, toute la journée, nous n'avons vu entre vous que haine et discorde sans pareilles?

– Sire, lui répond Gauvain, son neveu, puisque vous êtes venu jusqu'à nous pour le savoir, nous allons vous révéler la malchance et l'infortune qui sont à l'origine de ce combat. Je suis Gauvain, votre neveu, et je n'ai pas reconnu mon compagnon Yvain que vous voyez ici jusqu'au moment où il s'est enquis de mon nom. Chacun de nous a révélé son identité à l'autre, c'est ainsi qu'enfin nous nous sommes reconnus après nous être bien battus. Si le combat s'était quelque peu prolongé, il m'aurait tué car j'étais en bien mauvaise posture. J'aurais été victime de sa vaillance et de l'injuste cause de celle qui m'avait demandé de combattre pour elle. J'aime beaucoup mieux m'avouer vaincu par les armes que d'avoir été tué par mon ami.

Yvain, dont le sang ne fait qu'un tour, s'empresse d'intervenir.

– Seigneur, mon ami, vous avez grand tort de dire cela. Il faut que le roi sache que, sans discussion possible, j'ai été défait et réduit à votre merci.

– Non, c'est moi.

– Non, moi! font l'un et l'autre d'une seule voix.

Chacun se montre si noble et si généreux qu'il tient absolument à accorder à l'autre la victoire et à lui décerner la couronne du vainqueur, ce qu'ils n'acceptent ni l'un ni l'autre. Chacun, prenant à témoins le roi et toute l'assistance, se proclame vaincu et s'avoue contraint d'abandonner le combat.

Après les avoir écoutés un moment, le roi met un terme à cette dispute qu'il a trouvée plaisante. Ce qui le réjouit le plus, c'est de voir les deux chevaliers tomber dans les bras l'un de l'autre alors qu'ils viennent juste de s'infliger de multiples blessures.

– Seigneurs, à entendre chacun de vous prétendre qu'il a été vaincu, on voit bien la grandeur de l'amitié qui vous unit. Il faut maintenant vous en remettre à moi. Je donnerai à cette affaire un dénouement tout à fait équitable, satisfaisant pour l'honneur et qui devrait recevoir l'approbation de tous.

Yvain et Gauvain promettent de se soumettre entièrement à la décision royale.

– Où est, demande le souverain, la demoiselle

qui a injustement chassé sa sœur de sa terre et l'a déshéritée sans la moindre pitié?

– Sire, dit-elle, je suis ici.

– Approchez donc. J'avais depuis longtemps compris que vous priviez votre sœur de sa part d'héritage et vous venez publiquement de reconnaître les faits. Je ne veux pas que ses droits soient plus longtemps bafoués. Vous devez lui restituer la part qui lui revient en toute propriété.

– Sire, j'ai répondu sans réfléchir. Ne me prenez pas au mot. Ne m'accablez pas. Vous êtes roi et devez vous garder de toute injustice.

– Telle est bien mon intention et c'est pour cela que je veux rendre à votre sœur la part qui lui revient de droit. Vous avez bien entendu que votre chevalier et le sien s'en sont remis à moi. Chacun d'eux assure qu'il a été battu et accorde à l'autre l'honneur de la victoire. Puisqu'il m'incombe de trancher, ou bien vous vous soumettez totalement à ma décision, quelle qu'elle soit, ou bien je me verrai dans l'obligation de déclarer, bien à contrecœur, que mon neveu a été vaincu, ce qui pour vous serait bien pire.

Le roi n'avait évidemment pas l'intention d'en venir à cette extrémité mais il avait dit cela pour faire pression sur l'aînée en tentant de lui faire assez peur pour qu'elle accepte de restituer a sa sœur la part qui lui revenait. Il était convaincu que, sans la crainte ou sans la contrainte, les mots ne suffiraient pas à la faire céder.

Effectivement, elle dut concéder:

- Sire, il me faut donc me plier à votre volonté mais ce n'est pas de bon gré. Ma sœur recevra donc sa part et je consens que vous soyez le garant de cet accord.

– Investissez-la donc immédiatement de sa part et qu'elle la tienne de vous comme si elle était votre vassale. Aimez-la comme telle. Elle vous aimera comme sa suzeraine. Et que cela ne vous dispense pas de vous aimer comme deux sœurs.

Voilà comment le roi a mené l'affaire et rendu justice à la cadette. Il demanda alors à son neveu et à Yvain de consentir enfin à retirer leurs armures dont ils n'avaient plus besoin. Le combat était tout à fait terminé. Il n'y avait ni vainqueur ni vaincu. À peine avaient-ils commencé de se désarmer qu'ils se jetèrent d'un même élan d'émotion dans les bras l'un de l'autre.

Mais voilà que le lion, qui cherchait son maître, survint en courant. Il fallait voir alors tous les gens, même les plus hardis, se reculer ou carrément prendre la fuite!

– Arrêtez, leur cria monseigneur Yvain tandis que le lion, qui l'avait reconnu, manifestait sa joie. Pourquoi vous sauvez-vous? Personne ne vous chasse. N'ayez pas peur qu'il vous fasse mal. Il est à moi; je suis à lui: nous sommes compagnons tous les deux.

Alors, tout le monde comprit que le Chevalier au Lion, dont ils avaient entendu conter les aventures, n'était autre qu'Yvain. Monseigneur Gauvain lui dit:

– Monseigneur et cher compagnon, par Dieu, quelle honte vous venez de m'infliger! Je vous ai bien mal remercié du service que vous m'avez rendu en tuant le géant pour sauver mes neveux et ma nièce. Je me suis souvent demandé avec angoisse ce que vous étiez devenu. Mais je n'ai jamais entendu parler, là où j'étais, d'un chevalier qui se faisait appeler le Chevalier au Lion.

Tandis qu'ils conversaient, on finit de les débarrasser de leurs armures. Le lion vint là où son maître était assis lui faire toutes les démonstrations de joie que pouvait faire un animal à qui ne manquait que la parole.

Puis, il fallut conduire les deux chevaliers dans une infirmerie et dans une chambre au calme car ils avaient grand besoin de médecins et d'onguents pour soigner leurs blessures et de beaucoup de repos. Le roi Arthur fit appel au meilleur chirurgien qui leur prodigua ses soins les plus attentifs et guérit leurs plaies au plus vite et du mieux qu'il put.

XV
LE CALME APRÈS LA TEMPÊTE

Quand il fut complètement rétabli, monseigneur
Yvain, qui avait irrévocablement voué son cœur
à l'amour, vit bien que, si la dame ne lui accordait
pas son pardon, il en mourrait. Il décida de quitter
la cour et de s'en aller tout seul porter la guerre à
la fontaine : il ne cesserait de déchaîner la foudre,
le vent, la pluie et la tempête, jusqu'à ce que sa
dame, contrainte et forcée, accepte enfin de faire
la paix avec lui.

Sitôt qu'il se sentit parfaitement bien, il s'en alla
sans prévenir personne. Il n'emmena avec lui que
son lion qui jamais de toute sa vie ne voulut se
séparer de lui. Quand, après avoir longtemps
cheminé, ils arrivèrent à la fontaine, ils firent
pleuvoir. N'allez pas croire que je vous mens, mais
la tourmente fut si terrible que personne ne saurait
en conter même le dixième. On aurait dit que la

forêt entière allait être engloutie jusqu'au fond de l'enfer.

La dame craint de voir le château s'écrouler tant les murs vacillent. Le donjon tremble tant qu'il menace de s'effondrer. Les plus hardis éprouvent une telle peur qu'ils préféreraient être prisonniers quelque part en Perse ou aux mains des Turcs plutôt que de se trouver enfermés là. Ils pestent contre leurs ancêtres :

– Maudit soit celui qui le premier vint bâtir sa maison en ce pays et ceux qui y édifièrent le château ! Ils ne pouvaient pas trouver pire lieu puisqu'un seul homme peut l'attaquer, le tourmenter, le ravager !

– Il faut absolument faire quelque chose, madame, dit Lunette. Vous ne trouverez personne qui accepte de vous aider à surmonter ce péril, à moins d'aller chercher bien loin. Nous n'aurons plus un instant de répit à l'intérieur de ce château et nous n'oserons plus en franchir la porte ni l'enceinte. On pourrait rassembler tous vos chevaliers, vous savez bien qu'aucun d'eux, même parmi les meilleurs, n'oserait se porter à leur tête en pareille circonstance. Comme vous voilà misérable et indigne de votre rang si vous n'avez plus personne pour défendre votre fontaine ! Quelle honte pour vous si celui qui vient de vous assaillir de la sorte repart sans avoir à livrer bataille ! Vous voilà dans de beaux draps si vous ne trouvez pas quelque moyen de faire autrement !

– Toi qui ne manques pas de sagesse, dis-moi comment faire et je suivrai ton conseil.

– Madame, si j'en étais capable, je le ferais volontiers. Vous auriez grand besoin d'un conseiller plus avisé que moi. Aussi ne veux-je point m'en mêler et, comme tous les autres, j'endurerai le vent et la pluie jusqu'au jour où, s'il plaît à Dieu, je verrai venir à votre cour un chevalier assez vaillant pour assumer toute la charge de cette bataille. Mais je ne crois pas que ce soit pour aujourd'hui.

– Demoiselle, réplique aussitôt Laudine, ne me parlez pas de mes chevaliers ! Il est vrai que je ne peux rien en attendre. Aucun d'eux ne défendra jamais la fontaine. S'il plaît à Dieu, nous allons voir ce que valent votre sagesse et vos conseils car on a coutume de dire que c'est dans l'adversité que se révèle l'ami véritable.

– Madame, qui saurait où trouver le chevalier qui a occis le géant et vaincu les trois chevaliers ferait bien d'aller le chercher. Mais, aussi long-temps qu'il ne sera pas en paix avec sa dame, qu'elle sera fâchée contre lui et qu'elle nourrira de la rancune à son égard, il n'y a, je crains bien, aucun homme ou aucune femme qu'il n'accepte de suivre à moins qu'on ne jure de tout mettre en œuvre pour attendrir sa dame qui le fait mourir de chagrin.

– Avant que vous ne partiez à sa recherche, lui répond Laudine, je vous donne ma parole, je suis prête à vous le jurer, que, s'il vient jusqu'à moi, je m'emploierai de toutes mes forces à lui faire obtenir ce pardon qu'il désire.

– Madame, reprend Lunette, je ne doute pas, pour peu que vous le souhaitiez vraiment, que vous puissiez œuvrer fort efficacement à cette réconciliation. Quant au serment que vous proposez, ne m'en veuillez pas si, avant de me mettre en route, je vous demande de le prononcer formellement.

– Je n'y vois aucune objection.

Lunette fait apporter un fort beau reliquaire. La dame, prise au jeu de la vérité, se met à genoux. Pour l'énoncé du serment, Lunette n'oublie rien de ce qu'elle juge important.

– Madame, dit-elle, levez la main. Je ne veux pas que par la suite vous me reprochiez quoi que ce soit. Il y va de votre intérêt et non du mien S'il vous plaît, jurez que, sans arrière-pensée, vous vous emploierez de toutes vos forces en faveur du

Chevalier au Lion jusqu'à ce qu'il ait regagné l'amour de sa dame, comme il le possédait autrefois.

Levant la main droite, la dame dit :

– Je répète exactement les mots que tu viens de prononcer. Je jure, par Dieu et les saints, de grand cœur et sans arrière-pensée, que j'emploierai toutes mes forces en faveur du Chevalier au Lion jusqu'à ce qu'il ait regagné l'amour de sa dame, du moins pour tout ce qui dépend de moi.

Lunette a bien manœuvré. Ce qu'elle désirait le plus, elle vient de l'obtenir. On avait déjà sorti pour elle un palefroi docile et rapide. La mine radieuse, elle monta en selle et quitta le château. Arrivée sous le grand pin, elle fut bien surprise de rencontrer Yvain qu'elle ne pensait pas trouver si près. Elle pensait devoir le chercher longtemps et en de nombreux lieux. Elle le reconnut tout de suite, rien qu'en apercevant le lion, vint vers lui au grand galop et sauta légèrement à terre. Yvain aussi, du plus loin qu'il l'avait vue, l'avait reconnue.

Après l'échange des saluts, la demoiselle lui dit :

– Seigneur, que je suis heureuse de vous avoir trouvé si près !

– Étiez-vous donc à ma recherche ?

– Oui, seigneur, et jamais de ma vie je n'ai été aussi heureuse car j'ai obtenu que ma dame – si elle ne veut pas se parjurer – redevienne, comme jadis, votre femme et vous son époux.

Cette nouvelle qu'il désespérait d'entendre un jour réjouit fort le cœur d'Yvain. Pour exprimer sa gratitude à Lunette, il la couvrit de baisers et lui dit :

– Ma très chère amie, je crains bien de ne jamais pouvoir vous prouver toute ma reconnaissance.

– Seigneur, qu'importe ! Ne vous inquiétez pas. Vous ne manquerez pas d'occasions de dispenser vos bienfaits à moi comme à d'autres. Je n'ai fait que mon devoir. On ne doit de la reconnaissance qu'à ceux dont on est débiteur ; et je ne suis pas certaine de vous avoir rendu tout ce dont je vous étais redevable.

– Vous l'avez fait, et même au centuple ! Allons-y maintenant, si vous le voulez bien. Avez-vous révélé à ma dame qui je suis ?

– Certainement pas. Elle ne vous connaît qu'en tant que Chevalier au Lion.

Tout en discutant ainsi, toujours suivis du lion, le chevalier et la demoiselle ne tardèrent pas à arriver au château. Ils se gardèrent bien de dire quoi que ce soit aux gens qu'ils croisaient sur le chemin tant ils avaient hâte d'arriver devant la dame.

Celle-ci, apprenant la nouvelle du retour de sa suivante, amenant avec elle le Chevalier au Lion qu'elle brûlait de connaître, fut tout heureuse.

Monseigneur Yvain, tout armé, se jette à ses pieds. Lunette, qui est à côté de lui, s'empresse de dire à sa maîtresse :

– Madame, qu'attendez-vous pour le relever ? Employez toutes vos forces et tout votre savoir à lui faire obtenir le pardon de sa dame. Cela, personne d'autre que vous ne peut le faire pour lui.

La dame l'invite donc à se relever.

– Je lui suis toute dévouée et ne souhaite que son bonheur.

– Certes, madame, si cela n'avait pas été vrai, je n'aurais pas dit que vous seule pouviez lui rendre le bonheur. Il est grand temps que je vous dévoile toute la vérité. Vous n'avez jamais eu et n'aurez jamais d'ami meilleur que celui-ci. Dieu, à qui il plaît qu'entre vous et lui règnent paix et parfait amour, me l'a fait rencontrer aujourd'hui même, tout près d'ici. Madame, oubliez votre rancune car ce chevalier n'a d'autre dame que vous. C'est monseigneur Yvain, votre époux.

À ces mots, la dame sursaute et s'écrie :

– Par Dieu, comme je suis prise au piège ! Tu ne me feras jamais aimer malgré moi celui qui n'a pour moi ni amour ni estime. Ah, comme tu m'as bien servie ! J'aimerais encore mieux endurer toute ma vie vents et orages ! Et si se parjurer n'était une faute si grave et si méprisable, il ne serait absolument pas question que je fasse la paix avec lui. Comme le feu couve sous la cendre, continuerait de couver en moi ce dont je ne veux plus parler à présent et que je veux oublier puisqu'il faut bien me réconcilier avec lui sous peine d'être parjure.

En entendant cela, monseigneur Yvain comprend que son affaire prend tournure et qu'il obtiendra la paix et le pardon.

– Madame, implore-t-il, à tout péché miséricorde ! J'ai expié ma folie et ce n'était que justice. Car c'était bien une folie de demeurer longtemps loin de vous. Je reconnais ma faute et je fus bien hardi d'oser revenir devant vous. Mais, si, à présent, vous voulez bien me garder auprès de vous, je ne commettrai plus jamais la moindre faute à votre égard.

– Certes, j'y consens pour ne pas me parjurer et puisque vous le demandez.

– Madame, mille fois merci. Je prends à

témoins Dieu et le Saint-Esprit que rien ne pouvait me rendre plus heureux !

Ainsi, voilà monseigneur Yvain pardonné. Jamais, vous pouvez me croire, il ne fut aussi débordant de bonheur. Tout est bien qui finit bien pour lui : sa dame l'aime et le chérit et elle est bien payée en retour. Son bonheur présent lui fait oublier tous ses anciens tourments. Lunette aussi est pleinement heureuse puisqu'elle a réussi à réconcilier monseigneur Yvain, le parfait amant, avec sa tendre épouse et parfaite amie.

C'est ainsi que Chrétien de Troyes termine son roman du Chevalier au Lion. Il a rapporté tout ce qu'il avait entendu conter et n'en dira pas davantage car tout le reste ne serait que mensonges.

POSTFACE

Yvain, le Chevalier au Lion est ce qu'on appelle un *roman courtois*. Les deux termes méritent quelques explications.

Le terme *roman* qui désigne pour nous une fiction littéraire s'est d'abord appliqué à tout texte écrit en langue vulgaire (*lingua romana rustica* ou *roman*) par opposition à la langue noble, le latin. La plupart des romans sont d'abord effectivement des transcriptions en *roman* d'œuvres de l'Antiquité : *Roman d'Alexandre, Roman de Thèbes, Roman d'Enéas, Roman de Troie.* On employait, au Moyen Âge, pour désigner des fictions, les termes de *conte* ou d'*histoire.* À l'époque où écrit Chrétien de Troyes, autour de 1170-1180, *roman* a pris le sens moderne et s'applique à des récits en langue vulgaire racontant des aventures imaginaires.

Ce roman s'adresse à une certaine élite sociale, un public de cour, d'où son nom de *courtois*. À la différence des chansons de geste, anonymes, élaborées oralement en vers de dix syllabes regroupés en *laisses* (strophes de longueur variable) de même *assonance* (identité de la dernière voyelle accentuée), les romans courtois sont écrits – par des auteurs dont les noms, pour la plupart, sont parvenus jusqu'à nous – en vers octosyllabiques, rimés deux à deux. Ils ne sont pas vraiment destinés à la lecture solitaire et silencieuse mais à la lecture publique à haute voix, activité sociale pratiquée en petits groupes. Au château de Pire Aventure, une jeune fille lit ainsi un roman à ses parents. *Yvain* était sans doute destiné à être lu de la sorte. C'est pour cela que l'auteur entrouvre parfois le voile sur la séance suivante par des formules du type: «Je vous le dirai quand le moment sera venu.» Chaque séance de lecture comprenait, pense-t-on, de 700 à 1200 vers. La lecture intégrale de l'œuvre durait vraisemblablement de six à dix jours.

Au moment de la rédaction d'*Yvain,* l'auteur, Chrétien de Troyes, vivait à la cour de Marie de Champagne. Son nom, comme beaucoup d'autres de son époque, donne une indication d'origine géographique.

Le milieu du XIIe siècle est une grande époque qui marque non seulement le passage de la chanson de geste au roman, mais aussi tout un renouveau politique et culturel. C'est l'époque d'Henri II Plantagenêt, Thomas Beckett, Saladin, Aliénor d'Aquitaine (dont Marie de Champagne est une des filles), Richard Cœur de Lion, de la fondation de la Sorbonne par Suger, de l'épanouissement de l'ogive, du début de la grande polyphonie, bref une époque de «grande clarté[1]».

En dehors du *Chevalier au Lion,* on doit à Chrétien de Troyes plusieurs romans dont *Érec et Énide, Cligès ou la Fausse Morte,* un roman de *Tristan et Iseut* dont le texte est perdu, et surtout *Lancelot ou le Chevalier à la charrette* et *Perceval ou le Conte du Graal* (cette dernière œuvre, composée à la demande de son autre protecteur, le comte de Flandres, est demeurée inachevée). *Lancelot* et *Perceval* ont donné lieu à bien des continuations qui ont abouti à un immense roman de *Lancelot* en prose[2] et à tout le cycle du Graal (de *L'Histoire de*

1. Expression empruntée au titre de l'œuvre de Gustave Cohen, *La Grande Clarté du Moyen Âge,* Paris, 1945, coll. «Idées», Gallimard.

2. Alexandre Micha, qui a édité le texte en ancien français (Genève, Droz, 1978-1982, 8 vol.), en a également donné une traduction sous le titre *Lancelot, roman du XIIIe siècle,* Paris, 1983-1984, Bibliothèque médiévale «10-18», 2 vol, n°s 1583 et 1618. On pourra recommander à de jeunes lecteurs (niveau collège) la version abrégée de l'ensemble du cycle par François Johan, *Les Enchantements de Merlin, Lancelot du lac, Perceval le Gallois, La Quête du Graal, La Fin des temps chevaleresques,* «L'ami de poche», Casterman, 1980, repris dans la collection «Épopée», 1988.

Merlin à *La Fin des temps aventureux* en passant par *La Quête du Graal*).

Alors qu'il compose *Yvain,* Chrétien de Troyes élabore à la demande de sa protectrice une autre histoire d'amour : *Lancelot ou le Chevalier à la charrette* auquel il fait quelques allusions (enlèvement de la reine Guenièvre par la faute de Keu, disparition de Gauvain, parti à sa recherche). L'auteur éveille ainsi la curiosité du public pour son œuvre à venir mais, plus intéressant encore, en «entrelaçant» les épisodes de deux romans, il ébauche le futur grand cycle des chevaliers de la Table ronde.

S'il fait une œuvre véritablement originale, Chrétien de Troyes s'inspire d'une matière préexistante. Le roi Arthur dérive d'un modèle historique réel, héros de la résistance contre les Saxons au VIᵉ siècle, dont les exploits ont été racontés en 1136 par Geoffroy de Montmouth dans son *Histoire des rois de Bretagne* en latin, adaptée en 1155 par Robert Wace dans son *Roman de Brut,* à la demande d'Aliénor d'Aquitaine. L'œuvre eut un immense succès et Chrétien de Troyes n'a pas manqué de la connaître. Il s'inspire également de vieilles légendes bretonnes (l'Autre Monde, la fontaine périlleuse, les monstres, l'Hôte accueillant, le Géant-berger, les fées, les anneaux magiques...), fait appel à toute une culture antique, débat dans l'esprit des cours d'amour de son temps (l'Amour et la Haine; concilier l'amour, le mariage et l'aventure; le cœur et le corps; les parfaits amants...) sans rejeter l'observation personnelle (au château de Pire Aventure, les ouvrières sont exploitées comme dans les ateliers de tissage qu'il a sans doute visités en Champagne). Cet épisode révèle peut-être une face cachée de la chevalerie et de la noblesse dont le confort repose sur le travail ou l'exploitation d'une partie du peuple, représentée ici par les ouvrières.

Il n'était ni simple ni sans risque d'élaborer une version nouvelle d'une œuvre aussi connue, bien établie (les variantes d'une édition à l'autre sont finalement minimes et touchent des points de langue ou de détail, non l'ordre et le contenu des diverses aventures) et dont il existe déjà plusieurs traductions en français moderne. La part de liberté de l'adaptateur était extrêmement limitée.

Nous avons pris comme point de départ de notre «remaniement» deux éditions en ancien français: celle de Mario Roques (en tenant compte des corrections suggérées par Buridan et Trotin dans l'introduction de leur traduction, pp. IX à XXIII) et celle de Wendelin Foerster que nous avions toutes les deux en permanence sous les yeux. Nous avons à maintes reprises consulté les traductions existantes, avec d'autant moins de scrupules qu'elles sont de qualité, trouvant ici ou là l'explication d'un point obscur, reprenant éventuellement telle ou telle formulation. Nous sommes redevables à tous leurs auteurs (voir Bibliographie, traductions)[1].

Animé d'un souci de fidélité scrupuleuse au texte de Chrétien de Troyes, nous l'étions aussi d'un désir de clarté, de lisibilité par des non-spécialistes de la littérature médiévale comme de l'ancien français. Les étudiants disposant de textes parfaitement adaptés à leurs besoins, il restait à créer un outil comparable pour de jeunes lecteurs comme les élèves de collège. Nous avons fait œuvre pédagogique plus que de vulgarisation, bien conscient que ce travail n'échapperait pas au regard critique des médiévistes même s'il ne leur était pas destiné. Nous n'avons rien ajouté, sinon à deux ou trois reprises un mot ou une phrase d'explication, et avons raconté l'intégralité des

1. Que notre collègue Claude Lachet, qui nous a fait l'amitié de relire notre manuscrit et de nous communiquer ses remarques et commentaires toujours bienvenus, trouve ici l'expression de notre gratitude.

aventures d'Yvain en respectant le temps et le lieu, en nous efforçant de conserver les proportions récit-dialogue du texte original. Notre livre n'est pas un «classique abrégé», encore moins un recueil de morceaux choisis.

En ce qui concerne deux passages un peu ampoulés, loin d'être clairs pour le lecteur contemporain (il fallait, même dans les traductions érudites, donner des éclaircissements), nous sommes allé directement à la «solution».

Ainsi, l'acide commentaire de Keu à la proposition d'Yvain d'aller venger son cousin Calogrenant: «Après manger chacun va tuer Loradin; vous, vous irez venger Fourré!» est devenu plus simplement dans notre version: «Qu'on en accomplit de grands exploits après les repas!» Quant au commentaire de la reine aux sarcasmes de Keu: «Maudite soit la langue qui ne cesse de dénigrer... Quand on ne peut corriger quelqu'un, on devrait le traiter comme un fou et l'attacher dans l'église devant les grilles du chœur», nous avons donné directement l'explication de tout cela: «Puisqu'il est incapable de s'amender, on ferait bien de l'exorciser.»

Certaines dissertations risquaient d'être lassantes sinon incompréhensibles. Nous avons gardé l'esprit tout en raccourcissant le contenu (l'amour qui frappe aux yeux pour atteindre le cœur, v. 1372-1405 ; Yvain meurtrier d'Esclados peut-il être l'ami de sa veuve tout en étant son ennemi ? v. 1428-1461 ; la séparation du cœur et du corps de l'amant, v. 2642-2667 ; l'Amitié et la Haine entre Yvain et Gauvain qui s'affrontent sans s'être reconnus, v. 6001-6105).

En revanche, nous avons dû traduire presque mot à mot certains passages d'anthologie comme la rencontre du lion, la complainte des tisseuses de soie au château de Pire Aventure.

À l'intérieur du récit, nous avons banni l'emploi du subjonctif imparfait et limité le nombre de sauts du passé simple au présent qui sont si fréquents dans le texte ancien. Nous n'avons eu recours au changement de temps que si la justification était possible pour un jeune lecteur contemporain, c'est-à-dire lorsque ces passages «impliquent la participation du narrateur au récit, le posant en témoin de l'action qui se déroule[1]» participation qui doit être partagée par le lecteur ou l'auditeur.

Nous avons enfin volontairement banni tous les

1. Geneviève Hasenohr. *Introduction à l'ancien français,* Paris, SEDES, 1990, p. 179.

archaïsmes de vocabulaire et de syntaxe afin d'éviter la restauration artificielle et abusive d'un «sabir moyenâgeux» comme on en trouve parfois dans des éditions illustrées destinées à de jeunes lecteurs: «À ce coup le lion se crête. À aider son seigneur s'apprête, saute par ire et par grand-force saisit et fend comme une écorce sur le géant la peau velue...» Nous avons préféré plus de simplicité.

Nous n'avons gardé l'appellation «sire» qu'à l'adresse du roi; partout ailleurs nous l'avons traduite par «seigneur».

Précisons enfin que nous avons découpé clairement en chapitres un texte qui ne l'était pas. Chaque aventure ayant une unité propre à l'intérieur de l'ensemble très structuré de l'œuvre, ce découpage (à l'exception des chapitres XII et XIII) est sensiblement le même que celui adopté par André Mary ou Michel Rousse et respecte l'unité et la cohérence internes du texte original.

GLOSSAIRE

AUTOUR: Les autours sont des oiseaux de proie utilisés pour la chasse comme les faucons. L'autour mué (ayant fait sa mue), tenu sur le poing, est un signe extérieur d'élégance et de luxe.

BARBACANE: Partie avancée d'une fortification.

BARON: Les barons constituent la classe la plus riche et la plus influente des seigneurs dans la société féodale.

BASSIN: Le bassin avec lequel on verse l'eau de la fontaine est bien évidemment un récipient plus large que haut, plus proche de la bassine ou d'une grande louche que d'un seau.

BRACHET: Chien de chasse, braque.

BRAIES: Ample culotte serrée aux jambes par des lanières, intermédiaire entre le caleçon long et le pantalon.

BRETAGNE: Il s'agit à la fois de la «Petite Bretagne» armoricaine et de toute une partie de la «Grande Bretagne»: Galles, Cornouailles, Irlande.

BROCÉLIANDE (*broce:* «broussaille», et lande): On retrouve cette forêt mythique, dont le nom semble avoir été inventé par Chrétien de Troyes, dans tous les romans arthuriens. Il s'agirait de la forêt de Paimpont, près de Rennes, dont l'ancien nom breton était Brécilien ou Brécéliant. Ce qu'il en reste est aujourd'hui partiellement occupé par un terrain militaire.

CERVOISE: Terme bien connu des lecteurs de bandes dessinées mettant en scène un gros et un petit Gaulois. Sorte de bière à base d'orge, sans houblon

CHÂTEAU: Comme le *burg* allemand, le terme désigne tantôt le château fort, tantôt l'ensemble des maisons construites autour du château seigneurial, à l'intérieur de l'enceinte fortifiée (voir l'arrivée du roi au château de Laudine).

CHAUSSES: Partie du vêtement qui recouvre les membres inférieurs, sorte de collant. C'est aussi la partie de l'armure qui protège les jambes.

CONGÉ: Demander et obtenir son *congé,* c'est-à-dire l'autorisation de s'en aller (on dit encore prendre congé), est un signe de politesse. Toute dérogation est un manquement grave.

DESTRIER: Cheval de bataille spécialement dressé pour les joutes. Quand le chevalier ne le monte pas – car c'est un cheval qu'on ménage – l'écuyer le mène de la main droite, d'où son nom (*destre:* «main droite», qu'on retrouve dans *dextérité, ambidextre...*).

ÉCARLATE: Fine étoffe de laine ou de soie qui n'est pas forcément rouge vif.

ÉNARMES: Courroies de cuir dans lesquelles le chevalier passe le bras pour tenir le bouclier pendant le combat.

ESSART: Entre le xe et le xiiie siècle, on a procédé à de nombreux défrichements pour augmenter la superficie des terres cultivées. Un *essart* est une terre défrichée, pas obligatoirement une clairière. Le terme est resté en toponymie.

FRETEL: Sorte de flûte de Pan.

HANAP: Grand vase à boire, monté sur un pied et muni d'un couvercle.

HAUBERT: Cotte de mailles qui enveloppe le chevalier depuis la tête, recouverte par la *coiffe*, jusqu'aux genoux.

HEAUME: Casque. Le heaume est souvent orné de pierreries. Sur le devant, une barre de fer, le *nasal*, protège le nez.

MANGONNEAU: Catapulte qui lançait de gros projectiles, utilisée comme la *perrière* lors du siège d'une place forte.

MUID: Mesure de capacité de valeur variable selon les régions, utilisée pour les grains mais aussi pour les liquides, puisque Keu parle d'un muid de cervoise.

NÉTUN (de *Neptune,* dieu romain de la mer, ou de *Nudd-Nodons,* dieu celtique des pêcheurs; il y a une parenté maritime et aquatique entre les deux): Dans la mythologie antique, le dieu de la mer engendre des monstres comme les Cyclopes. Dans la mythologie celtique, il a deux fils, Gwynn et Edern; ce sont eux sans doute qu'Yvain devait combattre.

NONE: Les divisions du jour au Moyen Âge sont: *matines* (minuit), *laudes* (3 h du matin), *prime* (6 h), *tierce* (9 h), *sixte* (midi), *none* (15 h), *vêpres* (18 h) et *complies* (21 h).

PALEFROI: Cheval utilisé pour la parade et de façon générale pour tous les déplacements. Les demoiselles ne chevauchent que des palefrois.

PERRIÈRE: Voir «Mangonneau».

PERRON: Grosse pierre. Pour descendre de cheval, un chevalier en armure devait souvent prendre appui sur un perron avant de mettre pied à terre. Il s'agit sans doute ici d'une sorte d'auge creusée dans une grosse pierre.

QUINTAINE: Mannequin monté sur un pivot et armé d'un bâton, d'un maillet ou d'un fléau. Si le coup qu'on lui porte n'est pas bien ajusté, la quintaine pivote sur son axe et le chevalier risque de recevoir un coup très violent.

RONCIN: Cheval de somme ou de trait de peu de valeur. Un chevalier se couvre de ridicule en chevauchant un roncin.

SÉNÉCHAL (du francique *siniskalk*: serviteur le plus âgé): Chef de l'administration civile, c'est-à-dire à la fois économe, intendant, maître d'hôtel. Ses pouvoirs sont considérables. Les sénéchaux sont traditionnellement représentés comme des personnages antipathiques. Keu est à la fois insolent, grossier et plus ou moins traître (responsable de l'enlèvement de la reine Guenièvre). C'est également un sénéchal qui accuse Lunette de trahison (chap. VIII).

SETIER: Mesure de capacité pour les grains.

SURCOT: Vêtement sans manches qui se portait par-dessus cotte.

VAVASSEUR (*vassus vassorum* «vassal de vassaux»): Vassal d'arrière-fief, dernier échelon de la hiérarchie féodale. Dans les romans, loin d'être méprisés, les vavasseurs sont souvent représentés comme sages et accueillants.

VILAIN (*villanus* «paysan»): Les paysans forment une catégorie sociale profondément méprisée par la noblesse.

BIBLIOGRAPHIE

Éditions en ancien français

Les Romans de Chrétien de Troyes IV: Le Chevalier au Lion (Yvain), publié par Mario Roques, Paris, Champion, 1965, réédit. 1980.

Kristian von Troyes, Yvain, Textausgabe von Wendelin Foerster, Halle, Romanische Bibliothek, 1912 (texte intégralement repris dans la traduction de Michel Rousse, Garnier Flammarion).

Traductions

a) Très proches du texte ancien qui peut être lu en regard, avec présentation, notes, commentaires:

Le Chevalier au Lion (Yvain), traduit en français moderne par Claude Buridan et Jean-Trotin, Paris, Champion, 1989.

Yvain, le Chevalier au Lion, préface, traduction, commentaires et notes de Claude-Alain Chevallier, Paris, Livre de poche, 1988.

Yvain ou le Chevalier au Lion, traduction de Michel Rousse, Paris, Garnier Flammarion, 1990 (offre l'intégralité du texte en ancien français de l'édition Foerster).

Yvain ou le Chevalier au Lion (extraits), traduction en français moderne, accompagnée de nombreux passages du texte original pourvus d'un commentaire philologique et grammatical... par André Eskenazi, Paris, Classiques Larousse, 1974.

b) Il existe également d'autres versions en français moderne

Le Chevalier au Lion précédé de Érec et Énide, version en prose moderne d'André Mary, Paris, Gallimard, 1944.

Romans de la Table ronde (*Érec et Énide; Cligès ou la Fausse Morte; Lancelot, le Chevalier à la charrette; Yvain, le Chevalier au Lion*), textes présentés, traduits et annotés par Jean-Pierre Foucher, Livre de poche, 1970, repris en Folio, 1975.

Yvain, le Chevalier au Lion, extrait des *Romans de la Table ronde,* traduit de l'ancien français, établi et présenté par Jean-Pierre Foucher, Paris, Folio Junior, édition spéciale, 1991.

Études

Jean Frappier, *Chrétien de Troyes,* Paris, «Connaissance des lettres», Hatier, 1957, nouvelle édition, 1968.

Jean Frappier, *Étude sur Yvain ou le Chevalier au Lion de Chrétien de Troyes,* Paris, SEDES, 1969.

Le Chevalier au Lion de Chrétien de Troyes, «Approches d'un chef-d'œuvre», études recueillies par Jean Dufournet, Paris, Champion, 1988.

L'École des lettres, numéro spécial: «Le Chevalier au Lion», n° 12, juin 1993.

TABLE